Lernkrimi Deutsch

DER SCHATZ DES
MÄRCHEN-PRINZEN

Story: Marc Hillefeld
Übungen: Dr. Ingrid Schleicher

Compact Verlag

Bisher sind in dieser Reihe erschienen:
- Compact Lernkrimi Englisch, Französisch, Italienisch, Spanisch: Grundwortschatz, Aufbauwortschatz, Grammatik, Konversation
- Compact Lernkrimi Englisch GB/US: Grammatik, Konversation
- Compact Lernkrimi Business English: Wortschatz, Konversation
- Compact Lernkrimi Deutsch: Grundwortschatz, Grammatik

In der Reihe Schüler-Lernkrimi sind erschienen:
- Compact Schüler-Lernkrimi Englisch, Französisch, Spanisch, Latein I + II
- Compact Schüler-Lernkrimi Deutsch: Grammatik, Aufsatz
- Compact Schüler-Lernkrimi Mathematik, Physik

In der Reihe Lernthriller sind erschienen:
- Compact Lernthriller Englisch: Grundwortschatz, Aufbauwortschatz, Grammatik, Konversation

In der Reihe Lernstory Mystery sind erschienen:
- Compact Lernstory Mystery Englisch: Grundwortschatz, Aufbauwortschatz

In der Reihe Lernkrimi History sind erschienen:
- Compact Lernkrimi English History: Grundwortschatz, Aufbauwortschatz, Grammatik, Konversation

In der Reihe Hörbuch Lernkrimi sind erschienen:
- Compact Hörbuch Lernkrimi Englisch: Geübte Anfänger, Fortgeschrittene

Weitere Titel sind in Vorbereitung.

© 2007 Compact Verlag München
Alle Rechte vorbehalten. Nachdruck, auch auszugsweise,
nur mit ausdrücklicher Genehmigung des Verlages gestattet.
Chefredaktion: Dr. Angela Sendlinger
Redaktion: Iris Glahn
Produktion: Wolfram Friedrich
Titelillustration: Karl Knospe
Typografischer Entwurf: Maria Seidel
Umschlaggestaltung: Carsten Abelbeck

ISBN-13: 978-3-8174-7411-0
7274114

Besuchen Sie uns im Internet: www.compactverlag.de

Vorwort

Mit dem neuen spannenden Compact Lernkrimi können Sie Ihre Deutschkenntnisse auf schnelle und einfache Weise vertiefen, auffrischen und überprüfen.

Kommissar Paul Specht erleichtert das Sprachtraining mit Action und Humor. Er und seine mysteriösen Kriminalfälle stehen im Mittelpunkt einer zusammenhängenden Story.

Der Krimi wird auf jeder Seite durch abwechslungsreiche und kurzweilige Übungen ergänzt, die das Lernen unterhaltsam und spannend machen.

Prüfen Sie Ihr Deutsch in Lückentexten, Zuordnungs- und Übersetzungsaufgaben, in Buchstabenspielen und Kreuzworträtseln!

Ob im Bus oder in der Bahn, im Wartezimmer, zu Hause oder in der Mittagspause – das Sprachtraining im handlichen Format bietet die ideale Trainingsmöglichkeit für zwischendurch.

Schreiben Sie die Lösungen einfach ins Buch!

Die richtigen Antworten sind in einem eigenen Lösungsteil zusammengefasst.

Und nun kann die Spannung beginnen …

Viel Spaß und Erfolg!

Inhalt

Lernkrimi   5
Abschlusstest   137
Lösungen   139

Story

Paul Specht arbeitet als Kommissar bei der Kriminalpolizei in München. Er ist einer der fähigsten Männer und wird immer dann zurate gezogen, wenn seine Kollegen wieder einmal vor einem Rätsel stehen. Seine patente und modebewusste Assistentin Eva Hansen aus Hamburg unterstützt ihn stets mit Tatendrang und ihrer trockenen Art. Und insgeheim verfolgen die beiden noch ein weiteres Ziel: sich endlich auch privat etwas näherzukommen.

In den schönsten Schlössern und Kirchen Bayerns – erbaut von König Ludwig II. – gehen seltsame Dinge vor. Ein mutmaßlicher Serientäter verschafft sich unerwünschten Zugang und beschädigt die wertvollen Kunstschätze. Der Einbrecher scheint etwas ganz Bestimmtes zu suchen ...
Kommissar Specht geht auf die Suche nach dem Täter und gerät in einen Kriminalfall, der zunehmend mysteriöser wird.
Welches Motiv hat der Täter? Oder ist es König Ludwigs Geist, der Rache nehmen möchte?
Nach und nach gelingt es Kommissar Specht, Licht in das Dunkel des Unerklärlichen zu bringen ...

Der Schatz des Märchenprinzen

„Eins, zwei, drei, vier, fünf, sechs, sieben, acht; und: eins, zwei, drei, vier, fünf, sechs, sieben, acht – Mist!", dachte sich Paul Specht, seines Zeichens Kommissar bei der Münchner Kriminalpolizei. „Das lerne ich nie." Eigentlich waren diese sportlichen Übungen zu seinem privaten Vergnügen gedacht, denn mit seinem Polizeidienst hatte das hier nun wirklich nichts zu tun. „Eins, zwei, drei ...", murmelte er ganz leise mit, wurde aber von einer weiblichen Stimme von rechts unterbrochen:
„Ob der Junge mit dem gelben Hemd noch frei ist?", kicherten zwei junge Frauen in farbig abgestimmter Sportkleidung.

Übung 1: Unterstreichen Sie acht Wörter, die falsch geschrieben sind!

! ÜBUNG 1

„Ziegen", brummte er leise zurück. Kim, die als Tränerin arbeitete, sah, das er Hilfe brauchte und tänzelte in seine Richtung. In Spechts Augen schwepte sie. Kim, diesen Namen hatte er vorher noch nie gehört, fand ihn anfangs auch etwas gewöhnungsbedürftig, aber schon bald wunderschon. Sie war eine attraktive Erscheinung und etwa Mitte zwanzig, schätzte Specht. Ein bißchen jung vielleicht, zu jung?! Er lebte nach dem Grundsatz, dass man immer so jung war, wie man sich fülte. Das war der Leitsaz seines Großvaters, und schon früh hatte Paul diesen Spruch in seinen Wortschatz übernommen. Bei seinem vor Kraft strotzenden Opa traf diese Einstellung auch hundertprozentig zu. Er ging noch mit über 90 Jahren regelmäßig zum Schwimmen ins traditionelle Müller'sche Volksbad, das gegenüber des Münchner Kulturzentrums lag. Außerdem ging er mit Oma mehrmals die Woche zum Tanzen.

Specht war jetzt 44 Jahre alt und manchmal dachte er sich, dass sein Großvater wahrscheinlich fitter war als er. Doch zurzeit fühlte er sich mindestens zehn Jahre jünger, als er war, attraktiv und für Frauen einfach unwiderstehlich. Er müsste nur noch ein bisschen trainieren, um mehr Kondition zu bekommen und vor allem um Muskeln aufzubauen. Denn wenn er Kims Körper mit seinem verglich, musste er neidvoll zugeben, dass sie sehr viel muskulöser war als er. Sie hatte blonde, halblange und sehr lockige Haare, die sie meist unter einer Kappe versteckte, was Specht sehr schade fand. Kim hatte ein Bauchnabelpiercing und trug eine Tätowierung mit asiatischen Schriftzeichen am rechten Oberarm. Normalerweise fand Specht so etwas nicht besonders attraktiv, aber bei Kim gefiel ihm das. Er fand es süß.

Übung 2: Ergänzen Sie das passende Adjektiv!

1. Asien   <u>asiatisch</u>

2. Russland   _____

3. England   _____

4. China   _____

5. Polen   _____

6. Deutschland   _____

7. Schweiz   _____

8. Afrika   _____

9. Mexiko   _____

10. Europa   _____

„Du machst das schon sehr gut. Aller Anfang ist schwer, Paul. Dafür bist du beim Boxen absolute Spitze." Kim sah ihn an und strahlte.

„Ja, wirklich?"

„Ja, das meine ich wirklich."

„Wenn du das sagst, Kim!"

„Ich mache es dir jetzt noch einmal in aller Ruhe vor." Die anderen Kursbesucher schauten neugierig in Spechts Ecke. Kim klatschte in die Hände: „Hey, nicht einschlafen, die anderen machen bitte weiter, wir sind hier nicht beim Kaffeekränzchen!" Dann drehte sie sich wieder zu Paul: „Also, schau genau auf meine Beine, äh, ich meine Füße."

„Das mache ich doch gern", konterte er verschmitzt.

„Siehst du, im Prinzip ist es ganz einfach. Alles klar?"

„Äh, ja, ich denke schon."

„Du musst nur viel üben, Paul, dann klappt es schon."

Übung 3: Finden Sie das passende Gegenteil und setzen Sie die richtige Ziffer ein!

! ÜBUNG 3

1. lockig	_____	unattraktiv
2. jung	_____	links
3. attraktiv	_____	hässlich
4. einfach	_____	glatt
5. gut	_____	unsportlich
6. lang	_____	kurz
7. sportlich	_____	unregelmäßig

Übung 4: Unterstreichen Sie sechs inhaltlich nicht dazugehörende Sätze!

ÜBUNG 4

Neben Specht turnte seine Kollegin Eva Hansen, genauer gesagt war sie seine Assistentin. Gestern hatte er sich einen Spielfilm im Fernsehen angesehen. Eva Hansen war ziemlich sportlich und fit, doch das sah Specht nicht, denn er hatte nur Augen für Kim.

„Alles klar?", äffte Eva Kim nach. Das Wetter war in den letzten Tagen schlechter geworden. „Oh, Eva", dachte sie, „was hast du nur gemacht? Warum hast du das alles eingefädelt? Das war ein absolutes Eigentor!" Es regnete häufig, und die Temperaturen lagen meist unter 15 Grad. Paul Specht sollte doch nur ein einziges Mal an dieser Aerobicstunde teilnehmen. Mittlerweile war er bereits zum sechsten Mal dabei. Und das machte er bestimmt nicht ihretwegen.

Eva Hansen trainierte schon lange in diesem Fitnessstudio in Schwabing. Das Fahrrad stand vor der Tür. Sie konnte zu Fuß hierhergehen, denn sie wohnte gleich um die Ecke. Aber es gab noch andere Vorteile: Hier trainierten sehr viele interessante und prominente Leute. Der Buchladen nebenan war schon geschlossen. Außerdem gab es sehr gute Trainer. Die meisten von ihnen hatten ihre Ausbildung in Amerika absolviert. Das wusste sie von dem Mädchen an der Rezeption. In seinen neuen Schuhen konnte er gut laufen. Deshalb wurden in diesem Studio auch immer die neuesten Aerobictrends angeboten.

Der Kurs, an dem sie mit Specht teilnahm, war der letzte Schrei aus Amerika: eine Mischung aus Gymnastik, Boxtraining und Bodystyling, zu der heiße Funk-Beats und Hip-Hop aufgelegt wurden. Paul würde sich so eine Musik normalerweise nie anhören. Doch war es wahrscheinlich, dass er sie auch jetzt nicht hörte. Liebe macht ja bekanntlich blind und taub. „Meine Güte", dachte sie, „hätte ich denn ahnen können, dass sich Specht in diese Kim verliebt? Na ja, verlieben ist vielleicht zu viel gesagt. Aber wie er sie anhimmelt! Eva, Eva, hättest du das nur vorher gewusst!"

„Leute, aufgepasst, wir machen jetzt ein kurzes Cool-down." Kims Stimme war zu hören, doch sie unterbrach nur kurz Evas Gedanken.

Übung 5: Unterstreichen Sie das Verb, das nicht zu dem Substantiv passt!

1. Geschenk: machen – einpacken – spielen – überreichen
2. Kollegen: nicht ausstehen können – mögen – helfen – mitteilen
3. Musik: spielen – werden – zuhören – machen
4. Aufgaben: verlieren – lösen – haben – stellen
5. Rede: halten – vorbereiten – weghören – schreiben
6. Wette: gewinnen – verlieren – abschließen – ausrichten
7. Fest: geben – feiern – schließen – ausrichten
8. Hymne: anstimmen – spielen – singen – reden
9. Ausbildung: machen – verlieren – absolvieren – beenden

Diese blödsinnige Wette und dieses alberne Betriebsfest waren an allem schuld. Eva hatte es so schön eingefädelt: Sollte Paul Specht verlieren, müsste er sie einmal zur Aerobicstunde begleiten. Anschließend würde sie ihn dann überreden, mit ihr noch in die kleine Cocktailbar zwei Häuser weiter zu gehen. Da spielten sie Jazz und Paul liebte Jazz. Beim Betriebsfest vor acht Wochen hatte sie mit ihm gewettet, dass Kollege Brixen bestimmt wieder als Einziger eine Rede vorbereitet hätte. Sie wusste es ganz genau, denn Brixen hatte im Kopierer einige Blätter liegen lassen. Es war eine Art Dankeshymne auf Huber, ihren gemeinsamen Chef. Bereits mit seiner Rede beim vorigen Fest hatte er sich den Spott von einigen Kollegen zugezogen. Specht wollte einfach nicht glauben, dass sich Brixen noch einmal so erniedrigen würde. Doch er tat es und überreichte Huber zur Krönung des Ganzen sogar noch ein Präsent: einen Karton, der in weiß-blaues Geschenkpapier eingewickelt war. Was sich darin befand, erfuhr leider niemand, denn Huber packte das Geschenk nicht aus. Beide, sowohl Eva als auch Paul, konnten Brixen nicht ausstehen, denn dieser hoffte darauf, in ein paar Jahren Hubers Nachfolger zu werden, und daher war ihm jedes Mittel recht, sich beliebt zu machen. Bisher hatte er vom Rang her die gleiche Position wie Specht, allerdings war Brixen für die Abteilung „Spezialaufgaben" zuständig.

Übung 6: Ergänzen Sie den Artikel und den Plural!

1. _____ Papier   die _____

2. _____ Karton   die _____

3. _____ Wette   die _____

4. _____ Job   die _____

5. _____ Rücken   die _____

6. _____ Problem   die _____

7. _____ Handy   _____

8. _____ Anweisung   _____

„Das Betriebsfest oder vielmehr die Wette hatte aber doch etwas Gutes", dachte Eva. Denn sie hatte dazu geführt, dass sie sich mit Paul Specht duzte. Endlich, wie Eva fand. Schon des Öfteren hatten Specht und sie etwas zusammen unternehmen wollen. Sie hatte ihn sogar schon einmal zum Essen eingeladen. Doch irgendwie hatte es nie geklappt. Immer war etwas anderes dazwischengekommen, meistens der Job. Durch die gewonnene Wette, hatte sich Eva gedacht, würde sie Paul ein bisschen näherkommen. So weit, so gut, wäre da nicht diese Kim ...

In die Polizei-Sportgruppe ging Specht nicht, weil er sich nicht blamieren wollte. Aber damit hatte er hier offensichtlich keine Probleme, obwohl er sich ziemlich dämlich anstellte, wie Eva fand. Das Schlimme daran war: Er merkte es nicht einmal. Das Klingeln eines Handys riss Eva aus ihren Gedanken. Die Melodie war unverkennbar: Spiel mir das Lied vom Tod. Sie hatte Specht mit diesem Klingelton ziemlich genervt. Bereits als er ihn zum zweiten Mal gehört hatte, hatte er angefangen herumzustänkern: „Kindisch und unangebracht", waren seine Worte. Er hatte ihr die dienstliche Anweisung gegeben, diese alberne Musik zu löschen. Das fiel ihr in diesem Moment wieder ein.

Übung 7: Bringen Sie die Wörter in eine sinnvolle Reihenfolge!

1. „Kim" – hatte – Er – Namen – nie – den – gehört – vorher – noch.

_____

2. sechsten – Mittlerweile – war – zum – Mal – dabei – bereits – er.

_____

3. trainierten – Leute – sehr – viele – Hier – prominente.

_____

4. etwas – würde – ihr – ihn – überreden, – trinken – mit – noch –
zu – Sie.

_____

„Huch, das ist ja meins!" Eva errötete leicht. Schnell spurtete sie zur Fensterbank und kramte das Telefon aus der Jackentasche ihrer neuen, viel zu teuren Sportjacke, die sie sich extra für das Training mit Specht gekauft hatte. „Das Geld hätte ich mir sparen können", dachte sie, als sie die Taste zur Anrufannahme betätigte. „Hansen!" Eva hielt sich das Handy ans Ohr und schlich aus dem Gymnastikraum, wobei sie sich kurz umdrehte, um nach Specht zu schauen. Er hatte nicht einmal bemerkt, dass sie den Raum verließ. „Ja, okay! Habe verstanden! Ich werde in einer Stunde da sein!" Sie ging wieder zurück in den Gymnastikraum und geradewegs auf Specht zu, dem sie energisch auf die Schulter klopfte.

Übung 8: Welches Wort ist das schwarze Schaf?

1. Jazz – Blues – Rock 'n' Roll – Aerobic
2. Gymnastik – Leichtathletik – Training – Schwimmen
3. lockig – glatt – gestreift – gewellt
4. Opa – Kollege – Oma – Großvater
5. faulenzen – laufen – schwimmen – Fahrrad fahren

6. Papier – Wolle – Pappe – Karton
7. Hemd – Jacke – Hose – Tasche
8. Zimmer – Ort – Stelle – Platz

„Was ist los?"

„Einsatz, Specht!"

„Na, wenn das kein Einsatz ist, den ich hier zeige?!"

„Paul, wir müssen zu einem Einsatzort."

„Was? Wann?"

„Na, jetzt! Sofort! Komm endlich, ich erkläre dir alles draußen",
sagte sie sehr nachdrücklich.

„Frau Hansen, ich bin immer noch Ihr Vorgesetzter, also ein bisschen mehr Respekt bitte, ja!" Er grinste und folgte ihr. Verstohlen
winkte er Kim zum Abschied, als er die Tür schloss. Specht und
Eva gingen stumm durch den großen Saal, in dem die Fitnessgerä-
te untergebracht waren. Auf diversen Steppern, Fahrrädern und
Laufbändern trainierten Leute, die alle gelangweilt auf die großen
Fernsehbildschirme starrten, auf denen ein Musikvideo lief. Erst
als sie diese Folterkammer, so nannte Specht den Geräte- und
Konditionsraum, durchquert hatten, fragte er Eva: „Was ist denn
eigentlich passiert? Und wieso rufen die dich vor mir an?"

In diesem Moment klingelte auch schon sein Handy, er zog es aus
seiner Sportjacke, die er lässig in der Hand trug. „Specht hier!", er
setzte eine geschäftigte Miene auf. „Aha! Okay! Ich komme!"

Übung 9: Beantworten Sie folgende Fragen:

1. Wer ist Paul Specht?

_____

2. Wer ist Eva Hansen?

_____

3. Duzten sich Eva und Paul?

_____

4. Warum verließen Eva und Paul den Trainingsraum?

_____

5. Wie wurden sie informiert?

_____

6. Wo hatte Specht sein Handy?

_____

Während der Autofahrt ließ Specht nicht locker, immer wieder fing er mit dem gleichen Thema an. Dabei machte er ein nachdenkliches und gleichzeitig besorgtes Gesicht.

„Ich kann es nicht fassen, so eine bodenlose Frechheit! Warum wurde ich nicht als Erster verständigt? Du schaust ihn aber auch immer so an, so ...“

„Jetzt reicht's aber! Willst du mich etwa beleidigen?“

„Und warum hat er mich zehn Minuten später angerufen? Dieser eingebildete Schnösel Brixen, der treibt mich noch zur Weißglut!“

„Genau das will er ja auch! Lass dich doch nicht so von ihm ärgern!“

„Und warum übernimmt er nicht diesen Fall? Er müsste doch dafür zuständig sein und nicht wir! Was macht der eigentlich den ganzen Tag?“

„Specht, er geht morgen in Urlaub und deswegen haben wir diesen

Auftrag bekommen. Das ist mit Huber so abgesprochen und damit müssen wir uns abfinden."
Daraufhin herrschte Stille im Auto.

ÜBUNG 10

Übung 10: Ergänzen Sie das passende Fragewort!

1. _____ hat zehn Minuten später angerufen?

2. _____ hat Specht Eva zu seiner Assistentin ernannt?

3. _____ fuhren die beiden?

4. _____ lebte Eva nun schon so lange?

5. _____ war eine von Spechts Lieblingslektüren?

6. _____ machte der Wachdienst seine Runden?

7. _____ wurde der Fetzen angefasst?

8. _____ wurde Specht nicht als Erster verständigt?

9. _____ ging am nächsten Tag in Urlaub?

10. _____ war Eva, als ihr Handy klingelte?

Specht war auf der Garmischer Autobahn und nahm gerade die Ausfahrt Starnberg, als Eva die Stille unterbrach: „Kannst du dich noch erinnern? Hier hatten wir schon einmal zusammen einen Einsatz. Etwa vor einem Jahr ..."
„Wie könnte ich das vergessen?"
„Damals hast du mich zu deiner Assistentin ernannt."
„Du warst ja auch maßgeblich an der Verhaftung des Täters beteiligt. Ohne dich hätten wir den Fall vermutlich nie gelöst!"

Übung 11: Bilden Sie aus jeweils zwei Wörtern ein zusammengesetztes Substantiv mit Artikel!

1. Dampf	a. Park	_____
2. Auto	b. Führer	_____
3. Personal	c. Boot	_____
4. Reise	d. Schiff	_____
5. Schloss	e. Schuh	_____
6. Mantel	f. Fahrt	_____
7. Hand	g. Akte	_____
8. Segel	h. Kragen	_____

Eva dachte, dass Specht jetzt wieder ganz der Alte war, so wie sie ihn mochte. „Ein gutes Omen, findest du nicht?"

„Hoffentlich! Ich kann nicht verstehen, dass die Leute nicht einmal mehr vor religiösen Einrichtungen Halt machen. Wie kommt jemand dazu, in die Votivkapelle einzubrechen? Außerdem, wenn schon jemand in eine Kirche einbricht, warum dann in diese kleine Kapelle, wo nichts zu holen ist?"

„Was ist das eigentlich für eine Kapelle?"

„Eva, du enttäuschst mich. Nun bist du schon so lange in Bayern. Darüber solltest du wirklich Bescheid wissen."

„Da war doch was mit König Ludwig II., oder?"

„Da war was, ja!"

„Nun schau mich nicht so vorwurfsvoll an, ich habe immer noch den Zugereisten-Bonus. Ja, und ich gestehe, Geschichte war nie so mein Ding."

„Das weiß ich, Eva. Eine meiner Lieblingslektüren ist deine Personalakte, in der sich auch deine Bewerbungsunterlagen und Zeugnisse befinden!" Er grinste.

„Du bist gemein! Ich möchte nicht wissen, welche Noten du hattest. Nun erzähl' schon weiter."

Übung 12: Unterstreichen Sie acht Substantive, die für Personen stehen!

„Es handelt sich um seine Gedenkkapelle. Ludwig II. wurde im Jahr 1886 ermordet, genauer gesagt, er wurde im Starnberger See ertränkt. Einige Leute behaupten, dass der König verrückt war. Andere sagen, er wollte nur den deutschen Militarismus bändigen – gemeinsam mit seinem Vetter, der ebenfalls unter mysteriösen Umständen ums Leben kam. Wer weiß, vielleicht passte die Einstellung des Königs einfach nicht in das damalige politische Konzept. Ich denke, dass sein Leben noch längst nicht vollständig erforscht ist. Doch was man auch immer über ihn sagt, eins ist sicher: Er ist und bleibt einer der bedeutendsten Bauherrn des historischen Stils."

„Paul, solltest du irgendwann keine Lust mehr haben, bei der Kripo zu arbeiten, wärst du bestimmt ein guter Reiseführer. Weißt du", dabei machte sie eine ausladende Handbewegung, „nach dem Motto: Mit Paul Specht auf den Spuren des Märchenprinzen ..."

„Ich kann mich auch selbst veralbern, vielen Dank, meine Dame. So, jetzt sind wir in Berg."

„Und wo ist die Kapelle?"

„Die Votivkapelle befindet sich im Schlosspark. Und da kann man leider nicht mit dem Auto vorfahren. Also, darf ich bitten ..."

Übung 13: Ordnen Sie die Buchstaben zu Wörtern!

1. netbit _____   2. esupa _____

3. chespren _____   4. kignö _____

5. lestel _____   6. tareih _____

7. themac _____   8. teambe _____

„Mir macht ein bisschen Spazierengehen nichts aus, und seit du so sportlich geworden bist ..." Eva biss sich auf die Lippen. „Erst denken, dann sprechen", dachte sie. Aber da hatte sie diese unpassende Bemerkung schon ausgesprochen. Sie musste nicht auch noch diejenige sein, die Specht an Kim erinnerte.

Specht schaute sie fragend an, entschloss sich aber schnell, nicht auf Evas Spöttelei einzugehen. Als er wieder nach vorn blickte, rief er aus: „Schau, da vorn ist sie!"

„Wow, das sieht ja nett aus, fast wie ein kleines verwunschenes Schlösschen."

„Ist aber eine Kapelle. Das Schlösschen oder besser Schloss liegt weiter oben, es befindet sich in Privatbesitz. Ich finde, wenn man diese wunderschöne Landschaft sieht, kann man gut verstehen, dass sich der König gern in Schloss Berg aufhielt. Ist es nicht traumhaft? Übrigens war hier auch Richard Wagner häufig zu Gast. In dieser Zeit gab es auch nur ein einziges kleines Dampfschiff, namens Tristan, das genau zwei Ziele ansteuerte: die Roseninsel und das gegenüberliegende Schloss Possenhofen."

„Und in Schloss Possenhofen lebte damals Prinzessin Sophie, die Schwester der österreichischen Kaiserin Elisabeth."

„Jetzt verblüffst du mich aber!"

Übung 14: Setzen Sie die Substantive an der richtigen Stelle ein (Schloss, Verlobung, Tatbestand, Tagen, Schwester, Polizisten, Kapelle, Mantelkragen, Reiseführer, Beamte)!

„Das stand in meinem 1. _____ *München und Umgebung*, den ich mir gekauft habe, als ich das erste Mal zu Besuch bei meiner 2. _____ in München war. Ich kann mich daran erinnern, weil ich die Geschichte so romantisch und traurig zugleich fand. Sophie und Ludwig sollten doch heiraten, aber irgendwie hat das dann nicht funktioniert."

„Ja, aufgrund einer Intrige der Preußen ...", er schaute sie vorwurfsvoll an, als ob sie persönlich Schuld daran hätte, und fuhr fort: „wurde die 3. _____ gelöst und die Heirat platzte."

„Ja, ja, ich weiß, für euch Bayern gehört alles, was sich nördlich der Donau befindet, zu Preußen", grinste sie.

Als Eva und Specht bei der Kapelle ankamen, standen bereits zwei uniformierte 4. _____ davor.

„Hallo, Kollegen, was gibt's?"

„Grüß Gott, Herr Kommissar! Ja, wie Sie sehen ...", berichtete der ältere, leicht übergewichtige 5. _____ mit roten Wangen, „hat jemand das 6. _____ aufgebrochen, wie auch schon vor fünf 7. _____. Der Verwalter, Precht ..."

„Eduard Precht ...", vervollständigte der jüngere Beamte und wollte eigentlich noch etwas sagen, kam aber nicht dazu, da der Fülligere unbekümmert weitererzählte:

„Precht war bereits da und versicherte uns, dass nichts gestohlen wurde. Aber wir haben den gleichen 8. _____ wie beim letzten Mal, nur an einer anderen Stelle. Wenn Sie bitte mitkommen möchten."

Nun standen sie alle in der 9. _____. Eva zog ihren 10. _____ hoch, denn sie fröstelte etwas.

„Es sieht so aus, als ob jemand irgendetwas in der Kapelle gesucht hätte."
„Eigentlich eher unter der Kapelle!", warf der Jüngere ein.
Sein älterer Kollege stimmte ihm zu: „Richtig! Der Boden wurde dort hinten in der Ecke mutwillig kaputt gemacht. Letztes Mal war es vorn beim Altar." Er deutete mit dem Finger darauf: „Sehen Sie, da! Der Täter kann mit seiner Arbeit aber nicht sehr weit gekommen sein, wie man sieht. Er wurde wahrscheinlich vom Wachdienst gestört, der jetzt sogar stündlich seine Runden macht."

ÜBUNG 15

Übung 15: Welcher Begriff wird gesucht? Denken Sie an den Artikel!

1. Man zieht es an, wenn es draußen kalt ist: _____

2. Jemand, der ein Verbrechen begangen hat: _____

3. Damit verdient man sein Geld: _____

4. Man hat fünf an jeder Hand: _____

5. Der zweite Teil des Tages: _____

6. Eine kleine Kirche: _____

„Haben wir das alles auch schriftlich?" fragte Eva Hansen und drängelte sich in den Vordergrund.

„Ja, das heißt, eigentlich erst heute Nachmittag. Herr Precht wird bei uns im Starnberger Präsidium vorbeikommen und unterschreiben. Dann können wir Ihnen das Protokoll gleich nach München faxen, Frau ..."

„Hansen, Eva Hansen."

„Entschuldigung", beeilte sich Specht zu sagen. „Wie unhöflich von mir. Darf ich vorstellen, meine Kollegin, Frau Hansen. Und das sind Polizeiobermeister Maier und Polizeimeister Finke. Wir haben uns erst kürzlich bei einer Jubiläumsfeier eines Kollegen kennen gelernt."

„Aha", erwiderte Eva kurz.

„Aber das Beste kommt ja noch!" Finke schaute seinen Vorgesetzten Maier an, der ihm zunickte, als hätten sie vorher abgesprochen, dass das Highlight von dem jungen Kollegen vorgetragen werden durfte. „Wir haben etwas gefunden!"

„Ach", sagte Specht. „Na, dann erzählen Sie mal."

Übung 16: Unterstreichen Sie die Wörter, die eine ähnliche Bedeutung wie <u>sagen</u> haben!

sprechen, beachten, reden, anmerken, faxen, übernehmen, plaudern, nehmen, schwatzen, beruhigen, erzählen, vorstellen, lernen, einladen, kundtun, äußern, mitgeben, erklären, vortragen

ÜBUNG 16

„Hier", er hielt ein kleines durchsichtiges Plastiktütchen hoch. „Ein Stück weißes Fell."

„Ist das von einem toten Tier?", fragte Eva.

„Sie haben das doch nicht etwa ...?"

Da übernahm schnell der ältere und erfahrenere Kollege Maier wieder das Wort und unterbrach Specht. „Entschuldigen Sie, vielleicht war das ein bisschen zu übereifrig. Aber keine Sorge, mein Kollege hat diesen Fetzen mit einem Handschuh angefasst. Und weil der Schlossverwalter so aufgeregt war – wir mussten ihn erst einmal beruhigen –, haben wir ganz vergessen, das Beweisstück den Kollegen mitzugeben. Wir werden das aber anschließend nachholen und es persönlich in die Spusi bringen. Gefunden hat es übrigens unser junger Kollege Finke. Meiner Meinung nach handelt es sich um einen Stofffetzen eines Kleidungsstücks." Maier musste einige Male tief durchatmen, denn während seines Vortrags war er etwas aus der Puste gekommen.

! *Übung 17: Beantworten Sie die Fragen!*

ÜBUNG 17

1. Wie kamen Eva und Paul nach Starnberg?

_____

2. Wo wurde eingebrochen?

_____

3. Ist Eva aus Bayern?

_____

4. Wen trafen sie vor der Kapelle?

_____

„Bravo! Sie haben gute Arbeit geleistet. Ich brauche Ihnen aber nicht zu sagen, dass Sie Beweisstücke ..." – Specht unterbrach sich selbst, da er die beiden nicht maßregeln wollte. „Bitte geben Sie uns dann schnellstmöglich Bescheid." Er drehte sich um und warf noch einen Blick auf den Starnberger See, der ganz friedlich vor ihnen lag. Die meisten Segelboote, die im Sommer das Blau des Sees fast völlig verdeckten, waren schon zum Überwintern in die Bootsschuppen gebracht worden. Die Aussicht war traumhaft, aber er konnte sie nicht richtig genießen. Er war wieder ganz in seinem Element und dachte angestrengt über das Motiv des Täters nach.

Paul Specht und Eva Hansen saßen wieder im Auto und fuhren Richtung München. Im Radio gab gerade jemand ein Interview, in dem es hauptsächlich um klassische Musik ging. Auch von Richard Wagner war die Rede. „Wie passend", sinnierte Specht und schaltete wieder aus.
„Na, liebe Frau Kollegin, wie schätzen Sie diesen Fall ein?"

Übung 18: Unterstreichen Sie sechs falsch geschriebene Wörter!

„Also, für mich gibt es mommentan nur Ungereimtheiten", antwortete Eva. „Dieser Maier meinte doch, dass es sich um ein Stück Fell oder Peltz handeln würde, das sein Kollege gefunden hat. Und auch, dass es so aussehen würde, als wäre es der Fetzen eines Kleidungsstücks. Also handelt es sich vieleicht um eine Pelzhose. Gibt es so etwas überhaubt? Oder es ist ein Pelzmantel. Vorausgesetzt, es wäre so, dann frage ich dich: Hast du schon einmal von einem Einbrecher gehört, der bei seinen Einbrüchen einen auffälligen Pelzmantel trägt? Ich stelle mir gerade dieses Bild vor: Typ in weißem Pelzmantel steht in der Kapelle und versucht, mit einem

Stemeisen den Boden aufzuschlagen." Sie dachte kurz nach und meinte dann: „Jetzt weiß ich es: Der Einbrecher war in einem Eisbär-Kostum unterwegs. Tolle Tarnung! Gab es da nicht einmal etwas Ähnliches in einem Film mit dem rosaroten Panther?"

„Kriminalistisch wunderbar erklärt", grinste Specht. „Vielleicht waren die Täter zu zweit, einer stand in Pelzhose Schmiere und der andere arbeitete im Pelzmantel in der Kapelle. Doch Spaß beiseite. Wer es auch war, mit oder ohne Pelzmantel, was wurde hier gesucht?"

„Vielleicht wollten irgendwelche Verrückten in der Kapelle ein Ritual oder so etwas wie eine schwarze Messe abhalten ..."

„Eva, du siehst dir zu viele Horrorfilme an! Aber was sagte noch der junge Kollege Finke: Eigentlich eher unter der Kapelle ..."

„Wie bitte?"

„Er meinte, wer auch immer in der Kapelle war, er muss etwas im Boden gesucht haben, etwas, das im Boden versteckt, also vielleicht vergraben war", sinnierte er.

„Paul ... und gleich spielen wir Schatzinsel. Du hast wohl zu viele Abenteuerromane gelesen. Ich denke, es ist ein Verrückter, der einfach Spaß daran hat, in Kirchen zu randalieren."

ÜBUNG 19

Übung 19: Sind die folgenden Aussagen richtig (+) oder falsch (-)?

1. Die Aussicht am Starnberger See war traumhaft. ( )

2. Paul war sicher, dass die Täter zu zweit waren. ( )

3. Auf der Rückfahrt nach München hörten Eva und Paul Radio. ( )

4. Der Täter hatte eine weiße Pelzhose an. ( )

„Das eine schließt das andere nicht aus ...", antwortete Specht.
„Übrigens", unterbrach Eva ihn, „ich wollte dich noch etwas fragen. Sag mal, was für ein Gspusi haben denn die Kollegen Maier und Finke?"
„Hahaha!" Specht lachte laut. „Eva, du bist die Größte! Und ich dachte immer, es gibt keine dummen Fragen ... Liebe Kollegin, Herr Maier sprach nicht von einem Gspusi, auf Hochdeutsch die Person, mit der man ein Verhältnis hat, sondern von der Spusi, und das ist die Abkürzung für Spurensicherung."

Übung 20: Suchen Sie fünf Sätze, die inhaltlich nicht zum Text passen!

! ÜBUNG 20

Eva spürte, wie ihr das Blut in den Kopf schoss. Das kam von dem Kopfstand, den sie machte. Sie musste knallrot geworden sein, traute sich aber nicht, in den Spiegel zu schauen, sondern drehte ihren Kopf, so weit sie konnte, nach rechts und starrte durch das Autofenster. Sie putzte ihre Schuhe. Der Kaffee war auch fertig. „Wie peinlich, wie peinlich, wie peinlich! Hoffentlich vergisst er das ganz schnell wieder", dachte sie sich. Deshalb trank er zwei Liter Wasser am Tag. „Dieser alberne bayerische Dialekt! Wir Norddeutschen strengen uns wenigstens an, korrektes Hochdeutsch zu sprechen, aber die Bayern haben das ja nicht nötig." Die Affen waren heute wieder besonders laut.

Specht saß am nächsten Morgen schon sehr früh am Schreibtisch. Er wollte liegen gebliebene Akten bearbeiten und den gestrigen Fall protokollieren. Mittlerweile lagen die unterschriebene Aussage des Schlossverwalters und der Bericht der Spurensicherung auf seinem Tisch. Bei dem Fundstück handelte es sich tatsächlich um einen herausgerissenen Fetzen eines Pelzes. Die Fachleute meinten, es sei Hermelin. Specht blickte kurz auf: Trugen nicht Könige Hermelinumhänge?

ÜBUNG 21

! *Übung 21: Unterstreichen Sie die Tiere, die kein Fell haben!*

die Katze, der Hund, der Kanarienvogel, die Maus, der Fisch, das Huhn, die Schlange, der Krebs, der Affe, der Hase, das Reh, die Ameise, der Hamster, die Kuh, die Mücke, der Delfin, die Schildkröte, der Stier

Er las weiter und stellte fest, dass die Spurensicherung keinerlei Fingerabdrücke gefunden hatte. Und dass ihnen das Pelzstück weiterhelfen würde, bezweifelte Specht sehr. Was er zudem seltsam fand, war, dass dieses Hermelinstück an einer der Holzbänke gehangen hatte, die der Täter verrückt haben musste, um an die Stelle zu kommen, an der er offensichtlich mit einem Stemmeisen oder einem anderen Werkzeug zugange gewesen war.

ÜBUNG 22

! *Übung 22: Wie heißt das Werkzeug? Ordnen Sie die Buchstaben! Denken Sie an den Artikel!*

1. Man kann damit einen Nagel in die Wand schlagen. (rahmem)

_____

2. Damit kann man den Nagel wieder herausziehen. (ganze)

_____

3. Braucht man, um ein Loch zu machen. (maischenrohb)

_____

4. Damit können Sie ein Brett durchschneiden. (gesä)

_____

5. Brauchen Sie zum Schrauben. (erziehbrauschen)

_____

Der Schlossverwalter hatte zu Protokoll gegeben, dass seit dem ersten Einbruch niemand mehr in der Kapelle gewesen war. Er selbst hatte sie verriegelt. Die Restauration des Bodens sollte erst im nächsten Frühjahr durchgeführt werden, und so lange sollte die Kapelle auch verschlossen bleiben. Die Beamten der Spurensicherung behaupteten, dass sie die Kapelle beim ersten Einbruch millimeterweise untersucht hätten, da die dienstliche Anweisung von ganz oben gekommen war. Denn der Eigentümer des Schlosses in Berg kannte den Polizeipräsidenten persönlich.

Übung 23: Suchen Sie das schwarze Schaf!

1. Boden – Dach – Garage – Fenster
2. Kapelle – Kirche – Dom – Haus
3. Polizist – Einbruch – Raub – Erpressung
4. Schokolade – Brot – Kekse – Bonbons
5. Zeitung – Artikel – Schlagzeile – Buch
6. Schrank – Badewanne – Tisch – Bett
7. Anweisung – Befehl – Bitte – Kommando

Specht stand auf und ging in seinem Zimmer auf und ab – das machte er oft, wenn er über einen Fall nachdachte. Außerdem hatte er in seinem Schrank auf der anderen Seite des Raumes ein Süßigkeiten-Depot angelegt. Er bevorzugte Schokoladenkekse und -bonbons. Die Nervennahrung, wie er sie nannte, brauchte er zum Nachdenken. „König Ludwig, Gedenkkapelle, Starnberger See, Schloss ...", ging es ihm durch den Kopf. „Stopp!", sagte er laut, obwohl niemand im Zimmer war. „Da war doch noch etwas! Es wurde doch schon einmal ..." Er konnte seine Gedanken nicht weiterverfolgen, da die Tür aufging und Eva Hansen ins Zimmer gestürmt kam.

„Guten Morgen!" Eva strahlte.

„Wie kannst du nur morgens schon immer so gut gelaunt sein? Könntest du mir bitte gleich ..."

„Danke, Herr Specht, es geht mir sehr gut!"

„Wie bitte?"

„Na ja, ich fände es nett, wenn du mich auch erst begrüßen würdest, bevor du mir deine Aufträge erteilst."

„Entschuldige! Aber ..."

„Bitte lass mich erst noch etwas sagen, bevor du loslegst!" Dabei zog sie sich ihren Mantel aus und hängte ihn über den Stuhl. „Ich habe über die Einbrüche in Berg nachgedacht. Als ich gestern Abend nicht einschlafen konnte, habe ich mich über meine alten Zeitungen hergemacht. Die liegen bei mir immer stapelweise herum, weil ich nie dazu komme, sie zu lesen. Also habe ich mich an meinen Schreibtisch gesetzt und sie durchgeblättert, um mich auf andere Gedanken zu bringen. Du brauchst jetzt gar nichts zu sagen, ich weiß schon: Nichts ist älter als die Zeitung von gestern. Aber, ich bin da auf etwas gestoßen, schau ..." Sie kramte in ihrer Tasche und legte ihm ein paar Zeitungsartikel auf den Tisch, alle trugen fast identische Schlagzeilen.

Übung 24: Bringen Sie die Wörter in die richtige Reihenfolge!

1. durchzublättern – fing – Eva – die – Zeitung – an

_____

2. gehört – Messdiener – hätte – sagte – er – der – etwas

_____

3. sagen – die – ihr – ganze – wollte – er – Zeit – es

_____

4. gebracht – etwas – Fernsehen – darüber – sie – im – haben

_____

5. zum – brauchte – Nervennahrung – er – die – Nachdenken

_____

„Königsgrab geschändet!", las er laut vor. „Genau! Das ist es!"
„Was meinst du?"

„Ich wusste doch, dass da noch etwas war! Ich kenne diese Artikel, und auch das Fernsehen hat etwas darüber gebracht. Jemand
hat damals versucht, den Sarg des Königs aufzubrechen. Aber der
Täter wurde bei seiner Arbeit gestört. Ein Messdiener hörte Geräusche und wollte nach dem Rechten sehen. Der Polizei gegenüber
behauptete er felsenfest, den leibhaftigen König Ludwig gesehen
zu haben. Dieser soll ihn sogar überwältigt haben. Als man ihn
fand, war er völlig verwirrt. Wer weiß, was dieser arme Mensch
wirklich gesehen hat?"

Übung 25: Setzen Sie die passende Präposition ein!

1. Sie hat einen Bericht darüber _____ Fernsehen gesehen.

2. Die Kapelle lag _____ Starnberger See.

3. Die Kirche stand _____ der Innenstadt.

4. Die Leute legten Blumen _____ das Grab.

5. Die Großeltern gingen immer _____ den Friedhof.

6. Specht steckte das Bonbon _____ den Mund.

7. Eva legte Paul ein paar Artikel _____ den Tisch.

8. Specht konnte _____ Abend nicht einschlafen.

9. Eva hängte ihren Mantel _____ den Stuhl.

„Das klingt ja gruselig!" Eva schüttelte sich. „Eins muss man sagen: Der Täter ist schon ziemlich dreist. Die Kapelle und das Königsgrab in der Gruft sind, soviel ich weiß, beliebte Touristenattraktionen. Er musste doch befürchten, dass er entdeckt werden würde!" Sie machte eine kleine Pause. „Vor allem, wenn er aussieht wie König Ludwig!" Dabei schmunzelte sie.

Specht erwiderte konzentriert: „Ja, St. Michael liegt mitten in der Münchner Innenstadt. Das Königsgrab ist aber nicht nur für Touristen interessant, sondern auch für Einheimische. Viele gehen zum Grab und legen Blumen auf den Sarg. Für meine Großeltern ist das eine Selbstverständlichkeit. Sie machen das zweimal im Jahr, jeweils an Ludwigs Geburts- und Todestag." Specht wickelte ein Schokobonbon aus und steckte es in seinen Mund, danach sprach er etwas undeutlich weiter: „Wieso kommt jemand auf die Idee, den Sargdeckel zu öffnen? Das kann doch nur ein Verrückter gewesen sein!"

Übung 26: Unterstreichen Sie die richtige Alternative!

1. Eva hängte/hing ihren Mantel über den Stuhl.
2. Sie war noch nicht geheiratet/verheiratet.
3. Der Artikel war sehr gelangweilt/langweilig.
4. Paul war sehr an Eva interessiert/interessant.
5. Der Chef setzte/saß sich auf einen Stuhl.
6. Eva kam sehr aufregend/aufgeregt vom Telefon zurück.
7. Specht war über das Interview sehr verblüffend/verblüfft.
8. Die Zeitung lag/legte auf Spechts Schreibtisch.

„Ich werde gleich einmal bei der zuständigen Verwaltung anrufen und mich schlaumachen."

„Mach das! Fordere die Akten an und recherchiere, ob es schon ähnliche Fälle gab. Erkundige dich auch nach Einbruchsdelikten in Kirchen!"

Evas Telefon klingelte, sie lief in ihr Büro und kam aufgeregt zurück. „Paul! Waltraud Waldbauer war am Telefon. Sie wollte uns warnen, Huber ist im Anflug wegen der gestrigen ..."

Übung 27: Fügen Sie das passende Wort ein (Zeitung, Bericht, Zimmer, Beweisstück, Interview, Stunde, Schreibtisch, Frage)!

Doch da stand der Chef schon im 1._____. Eva wollte sich gerade unauffällig aus dem Büro schleichen, als er sie anraunte: „Hansen, Sie bleiben!" Die Zeitungsartikel auf Spechts 2. _____ erzürnten ihn offensichtlich noch mehr. „Wo ist Ihr Bericht? Was machen Sie beide eigentlich den ganzen Tag? Und was ist in der Votivkapelle passiert? Ich habe gehört, dass ein 3. _____ gefunden wurde."

Specht zuckte zusammen und fragte sich, woher der Chef das wusste. Er hatte doch noch gar keinen 4. _____ bekommen. „Das Protokoll ist in Arbeit. Ich kann Ihnen aber auch persönlich erzählen, was passiert ist! Es war also ..."

„Ersparen Sie mir das lieber! Ich möchte in einer halben 5. _____ den Bericht auf meinem Tisch liegen haben! Verstanden?"

„Jawohl, Herr Huber, wird gemacht!"

„Wer von Ihnen hat eigentlich der Presse ein 6. _____ gegeben?"

„Wie bitte? Wie kommen Sie denn darauf?", antwortete Specht verblüfft.

„Ihrer 7. _____ nach zu urteilen, haben Sie heute noch nicht die 8. _____ gelesen."

„Nein, noch nicht." Paul und Eva schauten sich schuldbewusst an. „Sie sollten statt der alten", er deutete auf die Artikel, die Eva mitgebracht hatte und auf Spechts Schreibtisch lagen, „lieber einmal die aktuellen Zeitungen lesen. Hier ist eine davon!" Huber schleuderte eine Zeitung auf den Tisch.

Eva las die Schlagzeile laut vor: „Die Auferstehung des Königs! Jetzt rächt sich sein Geist!"

„Diese Schmierfinken", schimpfte Specht. „Aber seit wann kümmern wir uns um so einen Unsinn?"

1. das Bericht ( )
2. die Presse ( )
3. die Interview ( )
4. der Zeitung ( )
5. die Zeitschrift ( )
6. das Magazin ( )
7. der Illustrierte ( )

„Wir kümmern uns dann darum, lieber Herr Kommissar, wenn Ihr Chef, und das bin immer noch ich, dienstliche Befehle ausspricht und diese nicht befolgt werden. Einer Ihrer Kollegen meinte schon bei dieser Angelegenheit", dabei deutete er auf die alten Artikel, „er müsse vertrauliche Interna an die Presse weitergeben. Damit meine ich die Geschichte mit dem Messdiener. So etwas ist nicht nur für die Kirche, sondern auch für die Polizei negativ. Die Leute machen sich über uns lustig. Und hier, in diesem aktuellen Fall, ist von einem Beweisstück die Rede."

„Das haben die Starnberger Kollegen gefunden, es war bestimmt ..."

„Sie, Herr Specht, leiten die Ermittlungen, nicht Ihre Kollegen. Deshalb werden Sie auch besser bezahlt."

Als Paul und Eva dachten, dass Huber mit seiner Standpauke endlich fertig wäre, fing er an, laut vorzulesen: „Polizei jagt den Geist des Königs. Hermelinumhang des Königs gefunden. So ein Schwachsinn ist mir noch nicht untergekommen ..."

„Aber Herr Huber, es wurde kein Umhang, sondern ein klitzekleiner Stofffetzen gefunden!", beteuerte Eva.

„Pelz", verbesserte Specht.

„Jetzt ist Schluss mit diesem Unsinn! Wenn so etwas noch einmal passiert, dann rollen hier Köpfe. Das verspreche ich Ihnen." Er drehte sich um und wollte gerade zur Tür hinausgehen, als das Telefon klingelte.

„Ja, Specht. Waaas? Okay, wir kommen!"

Übung 29: Was gehört zusammen?

1. ein Beweisstück	a. erzählen
2. ein Interview	b. aufbrechen
3. einen Anruf	c. finden
4. einen Verbrecher	d. bekommen
5. eine Geschichte	e. geben
6. ein Schloss	f. suchen

Huber drehte sich zu Specht um und sagte mit bestimmter Stimme: „Ich will Ihren Bericht in einer halben Stunde lesen, keine Widerrede!"

„Na gut, dann vergessen wir einfach den Einbruch in Schloss Nymphenburg."

„Wie bitte? Los, erzählen Sie!"

Und Specht erzählte: „Die Kollegen der Streife *Isar I* sind am Morgen um 5.30 Uhr über die Zentrale gerufen worden; Einsatzort: Nymphenburg, Schloss Nymphenburg. Der Wachdienst hatte gemeldet, dass ein Türschloss am großen Eisengitter, das zum Park führt, aufgebrochen war. Die anschließende Sicherheitskontrolle hat gezeigt, dass in einem der Schlafzimmer, genauer gesagt im

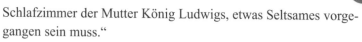

Schlafzimmer der Mutter König Ludwigs, etwas Seltsames vorgegangen sein muss."

Als er eine kleine Pause einlegte, schauten ihn Eva und Huber erwartungsvoll an.

Übung 30: Trennen Sie die Wörter in ihre Silben!
(Nym-phen-burg)

1. Sicherheitskontrolle _____

2. Leidenschaft _____

3. Urgroßvater _____

4. sympathischer _____

5. Zwischenbemerkung _____

6. Tagebücher _____

7. Jagdausbildung _____

„Na, nun erzählen Sie schon weiter!", murrte Huber nervös.

Und Specht erzählte weiter. Er malte die Geschichte noch etwas aus und würzte sie mit Fakten über die bayerische Geschichte und über König Ludwig II. Specht kannte sich aus, zweifelsohne. Seine Leidenschaft für bayerische Geschichte lag in seinen Genen und war auf seinen Ururgroßvater zurückzuführen, der zur Zeit König Ludwigs II. beim Kavallerieregiment gedient hatte. Seine Tagebücher befanden sich immer noch im Familienbesitz. Ein unschätzbarer Reichtum, wie Specht fand. Er erzählte davon, dass König Ludwig 1845 im Nymphenburger Schloss geboren wurde und seine Mutter, Königin Marie, aus Preußen stammte. Und auch, dass ihr Urgroßvater, der preußische Soldatenkönig Friedrich Wilhelm I., gewiss wenig Freude daran gehabt hätte, wenn er den kleinen Ludwig bei dessen Jagdausbildung im nahen Obermenzing hätte beobachten können: Statt auf Hasen schoss der Prinz lieber in die Luft.

„Dieser König wird mir immer sympathischer", bemerkte Eva trocken.

„Herr Specht, das ist alles sehr interessant. Aber nun erzählen Sie doch endlich, was Sache ist!"

ÜBUNG 31

Übung 31: Ergänzen Sie den Artikel und den Plural!

1. _____ Prinz   die _____

2. _____ Hase   die _____

3. _____ Blick   die _____

4. _____ Meißel   die _____

5. _____ Frage   die _____

6. _____ Antwort   die _____

7. _____ Wand   die _____

8. _____ Monogramm   die _____

Specht hatte keine Lust mehr, weiter zu referieren, und versuchte sich kurz zu fassen: „Das Gemälde von Königin Marie lag auf dem Bett und die Wand hinter dem Bild muss mit einem Meißel bearbeitet worden sein. Das Seltsame ist: Der Sicherheitsdienst fand einen weißen Handschuh mit eingesticktem Monogramm: LvB. Ich denke ..."

„Aber was heißt denn LvB?", fragte Eva naiv.

„Es könnte Ludwig von Bayern heißen, muss aber nicht", meinte Huber.

„Ja, Herr Huber, das wäre auch meine Antwort gewesen."

„Danke, Herr Specht!" Huber sah ihn strafend an. „Dann tun Sie das, wofür Sie bezahlt werden. Ermitteln Sie! Das gilt auch für Sie, Frau Hansen!"

„Und der Bericht über den Einbruch in der Votivkapelle in Berg?", fragte Specht scheinheilig.

„Verdammt noch mal, den geben Sie oder Ihre Assistentin mir, wenn Sie genau geklärt haben, was in Schloss Nymphenburg passiert ist!"

Übung 32: Beantworten Sie die folgenden Fragen!

1. Wer kam in Paul Spechts Büro?

_____

2. Was wollte der Chef haben?

_____

3. Wo wurde am Morgen eingebrochen?

_____

4. Worüber wusste Paul Specht sehr viel?

_____

5. Was lag auf dem Bett?

_____

In Schloss Nymphenburg war nichts gestohlen worden. Auch hier sah es so aus, als ob jemand etwas ganz Bestimmtes gesucht hätte. Paul Specht und Eva Hansen hatten zwar diese seltsamen Beweisstücke, doch trugen sie wenig zur Auflösung des Falls bei. Keine Fingerabdrücke, keine Tatverdächtigen ... Wochen vergingen. Die Meldungen in der Presse wurden weniger, aber immer wieder las man vereinzelt Schlagzeilen wie *Vandalismus im Schloss Nymphenburg; Geist treibt immer noch sein Unwesen; König Ludwig lebt.* Die Quintessenz aus allen Meldungen war jedoch: Polizei tappt im Dunkeln. Und das war nicht einmal gelogen. Kollege Brixen war wohl der Einzige, der seinen Spaß dabei hatte und sich freute, dass Specht nicht weiterkam. Huber verhielt sich relativ ruhig, wahrscheinlich weil auch ihm zur Lösung des Falls nichts einfiel und weil der Druck von oberster Stelle, wie es immer so schön hieß, auch weniger geworden war. Mit der Renovierung der historischen Stätten würde bald alles in Vergessenheit geraten.

„Nein, Herr Huber, dieses Mal ist Brixen dran! Das gehört nun wirklich hundertprozentig in sein Aufgabenfeld. Ich sehe nicht ein, dass wir immer die Kohlen aus dem Feuer holen sollen und sich Brixen auf seinen Lorbeeren ausruhen kann."

„Herr Specht, ich dulde keine Widerrede! Wie oft soll ich Ihnen noch sagen, dass Brixen ein Psychologie-Seminar in Köln besucht."

ÜBUNG 33

!

Übung 33: Suchen Sie sechs falsch geschriebene Wörter!

Auf Hubers Schreibtisch aus Kirschbaumholz stand eine Bronzestatue der Bavaria, der Schutzheiligen des Bayernlandes. Er rükte die Dame zurecht. Specht dachte sich, dass sie sicher ein Geschenck des schmierigen Kollegen Brixen war, vielleicht das

Präsent, das er ihm bei der Betriebsfeier übereicht hatte. „Hören Sie, Specht, dass ist jetzt ihre Chance. Gehen Sie höchst sensibel bei Ihren Ermittlungen vor und denken Sie immer daran: Wir werden jetzt besonders von der Presse beaugt. Es wäre schön, wenn die Polizei auch wieder einmal in positivem Licht erscheinen würde und ich nicht ständig lesen müsste: Polizei tappt im dunkeln."

Specht wollte spontan erwidern: „Chance? Welche Chance? Meine Chance wäre, wenn ich auch wieder einmal ein bisschen Freizeit hätte und in Kims Aerobicstunde gehen könnte." Er tat es aber nicht und sagte beleidigt: „Da es sich um eine dienstliche Anweisung handelt, bleibt mir ja sowieso nichts anderes übrig, als diesen Fall, sofern man davon überhaupt sprechen kann, zu übernehmen. Ich mache mich dann einmal an die Arbeit. Das heißt, ich werde mit Frau Hansen zu dem Autosalon von diesem Moosgruber fahren." Er stand auf und ging zur Tür.

Huber brummelte zwar noch etwas Unverständliches, schaute ihn dabei aber nicht mehr an. Specht verließ den Raum.

„Wir sollen was? Ist das dein Ernst?" Auch Eva konnte es kaum glauben.

„Das ist bei euch in Norddeutschland sicher auch so. Wenn es sich um eine bekannte Persönlichkeit handelt, dann werden die Richtlinien schon einmal ein bisschen außer Acht gelassen. Prominente erhalten eben, ob das nun fair ist oder nicht, manchmal eine Sonderbehandlung."

„Na, das kann ja heiter werden! Einen Vorteil hat das Ganze allerdings: So lerne ich auch einmal diesen prominenten Moosgruber kennen. Ist er eigentlich verheiratet?"

Specht grinste und meinte: „Na ja, im weitesten Sinne schon, das heißt, du brauchst dir keine Hoffnungen zu machen."

Eva ärgerte sich, wenigstens ein bisschen eifersüchtig hätte er ja schon sein können. Ob er immer noch an Kim dachte?

ÜBUNG 34

Übung 34: Welche Antwort ist richtig: a), b) oder c)?

1. Huber hat einen Schreibtisch
a) aus Holz.
b) aus Metall.
c) aus Glas und Metall.

2. Specht will
a) die neue Arbeit gern übernehmen.
b) lieber in Kims Aerobicstunde gehen.
c) mit Brixen zum Psychologie-Seminar.

3. Für Herrn Moosgruber
a) wird Kuchen gebacken.
b) werden die Richtlinien außer Acht gelassen.
c) wird ein Haftbefehl erlassen.

Die beiden fuhren mit dem Auto in die Maximilianstraße, die im Zentrum von München lag und zu einer der edelsten und sicher auch teuersten Einkaufsmeilen zählte. Am Straßenrand parkten hochwertige Limousinen und die meisten Passanten waren ziemlich extravagant gekleidet. Specht fuhr die Straße auf und ab, fand aber keinen Parkplatz. Deshalb lenkte er den Wagen Richtung Oper und fuhr in das große Parkhaus.
Die beiden mussten die Maximilianstraße zu Fuß hochlaufen, um zum bekannten Autohaus Moosgruber zu gelangen. Eva war das sehr recht. Sie schaute mit großen Augen in die Schaufenster der

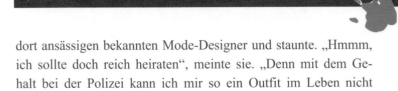

dort ansässigen bekannten Mode-Designer und staunte. „Hmmm, ich sollte doch reich heiraten", meinte sie. „Denn mit dem Gehalt bei der Polizei kann ich mir so ein Outfit im Leben nicht leisten."

„Schau dir lieber die interessante Architektur der Maximilianstraße an", meinte Specht, „die führt zum Maximilianeum hoch, in dem der Bayerische Landtag und der Bayerische Senat untergebracht sind."

„Meine Interessenlage sind eher die Geschäfte rechts und links."

„So, hier sind wir. Autohaus Moosgruber." Hinter den riesigen Fensterscheiben funkelte der Lack von teuren Luxuskarossen.

„Wahrscheinlich sollte ich auch reich heiraten", witzelte Specht, als er auf eines der Preisschilder an den Windschutzscheiben blickte. Er öffnete die Tür des Autosalons. Eine melodiöse Glocke ertönte. Sie waren kaum eingetreten, als schon ein Verkäufer auf die beiden zueilte. Er trug einen Nadelstreifen-Anzug, der sehr teuer aussah, und seine Haare waren streng mit Gel zurückgekämmt. Der Verkäufer begutachtete die beiden von oben bis unten, Specht meinte sogar, ein Naserümpfen gesehen zu haben. Mit ihrer doch recht normalen Kleidung fielen die beiden Beamten etwas aus dem Rahmen.

Übung 35: Ordnen Sie die Buchstaben zu Kleidungsstücken!

1. _____ (tajeck)

2. _____ (guzna)

3. _____ (esoh)

4. _____ (dehm)

5. _____ (luseb)

6. _____ (schandhuhe)

7. _____ (zümet)

8. _____ (ruvlelop)

„Ja bitte, was kann ich für Sie tun?", fragte der Verkäufer hochnäsig.

„Holen Sie uns mal den Chef!" Specht bestrafte ihn mit einem abfälligen Blick.

„Ja, aber ..."

Der Verkäufer kam nicht dazu, weiterzureden. Specht hielt ihm seinen Dienstausweis unter die Nase. „Und das hier ist Frau Hansen, ebenfalls Kripo München. Also, würden Sie jetzt bitte Ihren Chef rufen! Wir haben nicht den ganzen Tag Zeit!"

Wortlos ging er in den hinteren Teil des Ladens und verschwand hinter einem Paravent.

Eva schaute Specht an: „Ein bisschen freundlicher könntest du schon sein!"

Kurze Zeit später kam der Verkäufer wieder hervor. „Bitte schön, Herr Moosgruber lässt bitten. Wenn Sie mir bitte folgen möchten!" Die beiden gingen hinter ihm her.

„Ach, hallo, Sie sind also die Polizisten, die mir meine geliebte Minnie zurückbringen werden. Ich bin ja so betrübt. Sie ist mein Sonnenschein, mein Ein und Alles", er zückte sein Taschentuch und betupfte seine Stirn.

Eva schaute, nein, sie starrte ihn an. Denn vor den beiden stand eine imposante Erscheinung. Moosgruber hatte schwarzes Haar, das hochtoupiert war, er trug Rouge auf den Wangen und die Augen waren dunkel geschminkt. Auch er trug einen Nadelstreifenanzug. Im Gegensatz zu seinem Verkäufer, der ein sehr dezentes cremefarbenes Hemd anhatte, trug Moosgruber allerdings ein grelles, pinkfarbenes Seidenhemd. Außerdem fiel Eva die mit Diamanten besetzte Krawattennadel ins Auge.

„Guten Tag, Herr Moosgruber. Mein Name ist Specht, Kripo München. Und das ist meine Kollegin, Frau Hansen."

Eva nickte artig, für einen kurzen Moment war sie sprachlos.

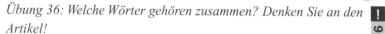

Übung 36: Welche Wörter gehören zusammen? Denken Sie an den Artikel!

1. Augen	a. Farbe	_____
2. Lippen	b. Falten	_____
3. Haar	c. Tusche	_____
4. Mund	d. Lid	_____
5. Wimpern	e. Stift	_____
6. Stirn	f. Winkel	_____

„Meine lieben Polizisten, ich mache mir solche Sorgen! Sehen Sie nur, was heute in meiner Post war." Er zeigte ihnen ein Stück Papier, auf dem farbige Wörter und Sätze klebten, die eindeutig aus Zeitungen herausgeschnitten waren. „Ach, bitte verzeihen Sie! Ich bin ja so unhöflich. Vor lauter Aufregung habe ich Ihnen nicht einmal einen Platz angeboten. Möchten Sie etwas essen oder trinken? Gnädige Frau, ein Glas Champagner vielleicht?"

Beide winkten dankend ab.

„Sie müssen mir versprechen, dass meine Minnie wieder gesund zu mir zurückkommt! Ich zahle jede Summe!"

Specht und Eva lasen den Brief. Darin stand, dass Moosgruber 400.000 Euro bezahlen solle, um seinen Hund Minnie lebend wiederzusehen. Angesichts dieser Zahl sahen sich Specht und Eva ungläubig an. Weiter hieß es, dass der Geldkoffer durch einen Angestellten in das Schließfach Nummer 13 am Hauptbahnhof gelegt werden solle. Nach geglückter Aktion würde Moosgruber weitere Instruktionen erhalten, wo er seinen Hund abholen könne. Eva sah kurz von dem Erpresserbrief auf und beobachtete Moosgruber, der sich gerade eine Träne von der Wange wischte. Der letzte Satz des Briefes lautete: Keine Polizei, sonst stirbt Minnie.

„Oh, meine Minnie, mein Schatz ... wie wird es meinem süßen Hündchen gerade ergehen? Wissen Sie, ich zahle jeden Preis, jeden. Was dieses Hündchen mir bedeutet, kann niemand nachvollziehen", dabei schluchzte Moosgruber. „Ich wollte erst überhaupt nicht die Polizei verständigen, auch Eddie riet mir davon ab. Aber dann habe ich es mir doch anders überlegt. Ich weiß ja, dass es überaus fähige Leute bei der Polizei gibt. Bitte helfen Sie mir!"

„Selbstverständlich, das ist unser Job, Herr Moosgruber", beruhigte ihn Specht.

„Wer ist denn Eddie?", fragte Eva.

„Sie haben ihn vorhin kennengelernt. Eddie ist mein erster Verkäufer und schon länger in meinen Diensten."

„Aha", meinte Specht trocken. „Ich würde Ihnen Folgendes vorschlagen: In diesem Erpresserbrief steht, dass einer Ihrer Angestellten den Geldkoffer zum Schließfach bringen soll ..."

! **ÜBUNG 37** *Übung 37: Unterstreichen Sie im folgenden Absatz alle Verben!*

„Ja, das macht Eddie. Er hat sich schon freiwillig gemeldet. Er ist ja so mutig! Wissen Sie, Eddie meinte – er ist auch höchst intelligent –, dass ich auf keinen Fall selbst den Koffer dort hinbringen dürfe. Das wollte ich nämlich. Er sagte, ich sei ja viel zu prominent. Wahrscheinlich hat er recht! Denn wenn ich unter das Volk gehe, werde ich ständig angesprochen, ich bin sehr beliebt, müssen Sie wissen ..."

Specht schaute zu Eva.

„Und meine Minnie ist ebenso beliebt ..."

„Das glaube ich auch! Ich hätte Ihnen jetzt vorgeschlagen, dass ich den Koffer ..."

„Nein, nein, nein, kommt überhaupt nicht infrage! Sie brauchen jetzt auch nicht vorzuschlagen, dass wir einen mit Zeitungspapier gefüllten Koffer in das Fach legen. Nein, nein, nein, ich setze auf keinen Fall das Leben von Minnie aufs Spiel!"

„Herr Moosgruber, was sollen wir denn dann bei der ganzen Sache tun? Etwa tatenlos zusehen?"

„Nein, denn wenn ich meine geliebte Minnie wieder in den Händen halte, erwarte ich von Ihnen, dass Sie den Täter finden und mir das Geld wiederbringen."

„Ach so!"

Eva versetzte Specht einen Tritt unterm Tisch, was so viel bedeutete wie: Mach dich nicht unglücklich und halte jetzt einfach deinen Mund!

Übung 38: Markieren Sie die Dinge und Personen, die man im Bahnhof finden kann!

! ÜBUNG 38

der Koffer, der Pilot, das Schließfach, das Gepäck, das Auto, die Fahrkarte, die Zugbegleiterin, der Buchladen, das Flugzeug, der Kapitän, die Reisenden, der Lokführer, die Schienen, der Fahrplan

Specht begann von neuem: „Wie sollen wir denn den Täter finden, wenn Sie uns von vornherein ausschließen?"

„Das ist Ihr Problem! Sie sind doch die Polizei! Eddie wird auf jeden Fall den Geldkoffer heute Nachmittag zum Bahnhof bringen, wie es im Erpresserbrief steht. Ich danke Ihnen für das Gespräch und erwarte, dass Sie den Täter finden. Vergessen Sie nicht: Ich bin ein sehr einflussreicher Mann und kenne unter anderem den Ministerpräsidenten ..."

Specht blickte zu Eva. Sie verstand seine Geste. Beide standen fast synchron auf und gingen, wobei Specht noch seine Visitenkarte auf den Schreibtisch legte. „Hier bin ich übrigens zu erreichen, falls es Probleme geben sollte."

„Aber ich war noch gar nicht fertig. Nein, wie unhöflich!", regte sich Herr Moosgruber auf.

Übung 39: Trennen Sie die Wörter in ihre Silben!

(Geldkoffer – Geld-kof-fer)

1. Visitenkarte _____

2. Ministerpräsident _____

3. Schließfach _____

4. Hauptbahnhof _____

5. Kleinigkeit _____

6. Schweinebraten _____

7. Tageszeitung _____

Als Eva und Specht das Geschäft verließen, hielt davor gerade ein Bus mit japanischen Touristen. „Klickklickklick" hörte man die Fotokameras, die alle Moosgrubers Autosalon im Fokus hatten.

„So etwas habe ich ja noch nie erlebt!"

„Tja, Eva, das ist die Münchner Schickeria."

„Und was machen wir jetzt?"

„Wir werden uns gleich einmal ein bisschen am Hauptbahnhof umschauen und sollten auf jeden Fall noch ein paar Kollegen in Zivil anfordern, die das Schließfach bewachen."

„Und das alles wegen eines Hundes!" Eva schüttelte heftig den Kopf.

Da sie sich vorher noch stärken wollten, gingen sie zünftig bayerisch essen: „Schweinebraten mit zwei Knödeln und extra viel Soße", bestellte Specht, „und ein Weißbier", hätte er fast gesagt, aber er war ja im Dienst. Eva aß Weißwürste, und darüber regte sich der heimatverbundene Specht nun ganz fürchterlich auf: „Wie kannst du jetzt Weißwürste essen, es ist 13 Uhr!"

„Ja, und?"

„Typisch Zugereiste. Ein ungeschriebenes bayerisches Gesetz besagt, dass Weißwürste nur vor 12 Uhr gegessen werden dürfen."

„Wieso stehen sie dann auf der Karte?"

„Für die Touristen, die es nicht wissen. Du bist immerhin schon so lange da, dass du dir darüber im Klaren sein müsstest."

„Ihr Bayern ...", grinste sie und aß genüsslich weiter.

Gegen 14 Uhr waren sie am Hauptbahnhof und postierten sich unauffällig bei den Schließfächern. Specht versteckte sich hinter einer Tageszeitung und lehnte in einer Ecke, von der er das Schließfach Nummer 13 gut sehen konnte. Eva ging auf und ab und tauschte in regelmäßigen Abständen ihre Requisiten: schwarzer Koffer gegen blaue Reisetasche, Trenchcoat gegen braunen Flanellmantel, Hut gegen Kopftuch. Alle beteiligten Beamten wechselten ständig ihre Positionen und warteten ab, immer den Blick auf das Schließfach 13 gerichtet.

Übung 40: Setzen Sie die richtige Farbe ein!

1. sich _____ ärgern

2. _____ machen

3. _____ fahren

4. alles durch eine _____ Brille sehen

5. dasselbe in _____ sein

6. mit einem _____ Auge davon kommen

7. _____ sehen

8. _____ sehen

Sie warteten, warteten und warteten. Gegen 18 Uhr griff Specht zu seinem Handy und wählte Moosgrubers geschäftliche Nummer.

„Autosalon Moosgruber, hier spricht Benjamin Kruse, was kann ich für Sie tun?"

„Bitte stellen Sie mich zu Herrn Moosgruber durch."

„Bedaure, Herr Moosgruber ist nicht zugegen."

„Nicht zugegen", dachte sich Specht, „geht es noch ein bisschen hochgestochener?" Doch er antwortete: „Specht, Specht ist mein Name. Wo finde ich Herrn Moosgruber? Es ist wirklich sehr dringend."

„Herr Specht, es tut mir sehr leid, aber Herr Moosgruber wünscht heute keine Störung mehr."

„Glauben Sie mir, Herr Kruse, von mir schon!"

„Ja, ja", näselte er, „das sagen sie alle."

„Verdammt noch mal", jetzt wurde Specht richtig wütend, „ich bin von der Kripo, sagen Sie mir jetzt sofort, wo sich Moosgruber aufhält!"

„Oh, von der Kripo, warum haben Sie das nicht gleich gesagt, wir hätten uns Zeit sparen können. Herr Moosgruber hat kein Handy dabei, da können Sie es also lange probieren. Der Chef ist bei einer kleinen Privatparty. Er ist mit Freunden zum Essen bei Feinkost Blume in der Prinzregentenstraße. Und der Champagnerempfang wird entweder in den Privaträumen von Herrn Moosgruber oder in

einem Club stattfinden, das war noch nicht klar, als er ging."
Specht war sprachlos. War dieser Moosgruber ein so guter Schau-
spieler oder wollte er seine Trauer in Alkohol ertränken?
„Haben Sie die Telefonnummer von Feinkost Blume?"
„Haben Sie die etwa nicht?!"
„Hören Sie, noch ein Wort und werde Ihnen mal zeigen ..."
„0173- ...", erwiderte Herr Kruse wie aus der Pistole geschossen.
„Was soll ich mit einer Handynummer?"
„Na, um diese Zeit hat Blume schon geschlossen, ich sage doch, es
ist eine Privatparty, also ..." Doch da hatte Specht schon aufgelegt.

Übung 41: Suchen Sie das schwarze Schaf!

1. Champagner – Sekt – Wein – Cola – Bier
2. Party – Fest – Geburtstag – Feier
3. Geschenk – Souvenir – Gabe – Präsent
4. Abendkleid – Blaumann – Smoking – Galarobe

Specht wählte die Nummer, die ihm Kruse gegeben hatte. „Dieser
Job bringt mich noch um", dachte er, als gerade das Freizeichen
ertönte. „Grüß Gott, hier Specht, Kripo München ..." Letzteres
betonte er besonders. „Ich möchte mit Herrn Moosgruber spre-
chen."
„Kripo München?", fragte eine dunkle weibliche Stimme, „mit
Herrn Moosgruber?"
„Ja! Sind Sie taub?" In diesem Moment tat ihm sein Nachsatz
schon wieder leid. Aber es war auch zum Aus-der-Haut-Fahren mit
dieser Münchner Schickeria.
„Ich darf leider nicht stören!"
„Dann sagen Sie ihm, wer am Apparat ist. Er kennt mich."

„Kleinen Moment bitte, Herr Specht!"

Paul Specht wartete.

„Hallöchen, Herr Kommissar! Wie geht es Ihnen?"

„Äh, spreche ich mit Herrn Moosgruber?"

„Ja, natürlich. Wollen Sie mich nicht besuchen kommen? Bringen Sie doch Ihre reizende Kollegin mit, wie war noch mal ihr Name?"

„Specht!"

„Hahaha, wie komisch. Ich meine doch den Namen Ihrer Kollegin, Sie Schlingel."

„Einer von uns beiden ist betrunken, und ich kann es nicht sein, also bleibt nur Moosgruber übrig", dachte sich Specht und sagte laut: „Sie meinen Frau Hansen!"

„Hansen, ja natürlich, wie konnte ich diesen Namen vergessen? Also, los, kommen Sie einfach vorbei!"

„Herr Moosgruber, können Sie mir bitte einmal sagen, was hier eigentlich los ist? Heute Morgen waren Sie noch zu Tode betrübt und jetzt hängt der Himmel voller Geigen!"

„Nein, Herr Kommissar, wissen Sie es denn noch gar nicht?"

„Was denn?", schrie Specht entnervt in den Hörer. Die Leute, die an ihm vorbeigingen, drehten sich erschrocken um. Etwas leiser sagte er: „Herr Moosgruber, ich weiß nicht, was Sie meinen."

Übung 42: Ordnen Sie die Gegenteile einander zu!

<table>
<tr><td>1. männlich</td><td>a. laut</td></tr>
<tr><td>2. betrunken</td><td>b. langweilig</td></tr>
<tr><td>3. dunkel</td><td>c. weiblich</td></tr>
<tr><td>4. geliebt</td><td>d. nüchtern</td></tr>
<tr><td>5. leise</td><td>e. hell</td></tr>
<tr><td>6. aufregend</td><td>f. gehasst</td></tr>
</table>

! ÜBUNG 42

„Meine Minnie, mein geliebtes Hündchen, mein Ein und Alles, sie ist wieder da!"

„Waaas? Aber es war doch niemand am Schließfach."

„Sie waren also doch am Hauptbahnhof!", empörte sich Moosgruber. „Sie, ja, Sie hätten das Leben meines geliebten Schatzes aufs Spiel gesetzt. Wäre da nicht mein Held, mein treuer Bediensteter und Vertrauter Eddie, der mein Hündchen gerettet hat."

„Jetzt bitte noch einmal von vorn!"

„Der Erpresser rief bei mir im Geschäft an. Seine Stimme klang wie aus einem Horrorfilm, so wie eine Stimme aus dem Jenseits."

„Männlich oder weiblich?", fragte Specht.

„Ich denke männlich, nein weiblich, das ist schwer zu sagen, weil die Stimme wirklich ganz weit weg und sehr leise war. Er wollte mit demjenigen sprechen, der das Geld in das Schließfach legen sollte. Also holte ich Eddie ans Telefon, der mit ihm sprach. Es war ja alles so aufregend! Stellen Sie sich vor, der Erpresser hatte die Summe um 100.000 Euro erhöht. Dieser Schuft! Eddie musste dann zum Flughafen fahren und dort den Geldkoffer in ein Schließfach legen. Ja, und im Schließfach lag ein Zettel, dass meine Minnie im Tierheim abgegeben wurde. Stellen Sie sich vor, im Tierheim mit all den anderen Tieren ... Und dann haben wir ganz schnell mein Schätzchen abgeholt. Sie war ja so verstört. Aber jetzt hat sie sich beruhigt und kann schon wieder mit uns feiern."

„Wissen Sie was, Ihr Held Eddie soll doch morgen einmal bei uns im Präsidium vorbeikommen."

„Ach, das ist ja aufregend, das macht er bestimmt gern. Aber bitte nicht so früh, wir wollen heute noch lange feiern. Und Herr Kommissar, ich weiß, dass Sie den bösen Erpresser fangen werden."

„Letzteres werde ich versuchen, das ist mein Job! Sie hätten mich aber umgehend informieren müssen, als der Erpresser bei Ihnen anrief", regte sich Specht auf. „Ihr Eddie soll doch bitte morgen um 8.00 Uhr bei uns vorbeikommen."

„Sie meinen 20 Uhr, oder?"

„Nein, ich meine 8.00 Uhr morgens."

„Das ist nicht fair. Der arme Eddie! Aber ich werde ihm sagen, dass er morgen um Punkt 8.00 Uhr bei Ihnen sein soll. Auf Wiederhören!"

Als Specht seiner Kollegin von seinem Gespräch mit Moosgruber erzählte, platzte Eva der Kragen: „Ich werd' verrückt, und dafür laufe ich hier wie auf einem Laufsteg auf und ab! Und wofür? Für nichts und wieder nichts!"

Übung 43: Beantworten Sie die Fragen!

1. Was war Herr Moosgruber von Beruf?

_____

2. Wen vermisste er?

_____

3. Wohin sollte der Koffer mit dem Geld gebracht werden?

_____

4. Was machten Eva und Paul um 13 Uhr?

_____

5. Bekam Herr Moosgruber seinen Hund zurück?

_____

6. Wo war der Hund abgegeben worden?

_____

Am nächsten Tag erschien Eddie pünktlich um 8.00 Uhr im Präsidium. Moosgrubers Autoverkäufer war seit gestern Held des Tages. Er trug eine schwarze Sonnenbrille. Als er sie abnahm, wusste Specht auch, warum. Die Feier am Abend zuvor hatte ihre Spuren hinterlassen. Er erzählte exakt die gleiche Geschichte, die Moosgruber schon gestern am Telefon zum Besten gegeben hatte. Eddie hatte sogar den Zettel dabei, auf dem stand, dass Minnie im Tierheim abzuholen sei. Auch die Summe von sage und schreibe 500.000 Euro bestätigte er. Da die Spurensicherung bereits auf dem ersten Erpresserbrief keine Fingerabdrücke außer denen von Moosgruber und Eddie gefunden hatte, würde wohl auch die Untersuchung dieses Zettels zu keinem brauchbaren Ergebnis führen. Der Täter hatte wieder ausgeschnittene Wörter aus Zeitungen benutzt. Eddie unterschrieb das Protokoll und wollte gerade gehen, als Specht ihn fragte: „Sagen Sie, was haben Sie eigentlich vor dem Job im Autosalon gemacht?"

Eddie war sichtlich irritiert und antwortete erst nach einer kurzen Pause. „Ich habe Bühnenbildner gelernt, dann war ich Techniker und später habe ich noch eine Zusatzausbildung zum Kostümbildner gemacht. Ich war über zehn Jahre am Theater, wenn Sie's genau wissen wollen."

„Sie sind ein Mann der schönen Künste", spöttelte Specht. „Wie sind Sie denn dazu gekommen, Autoverkäufer zu werden?"

Eddie stockte wieder. „Ach, wissen Sie, das ist auch irgendwie alles ein großes Theater."

„Und wie haben Sie Moosgruber kennengelernt?"

„Über einen Freund."

„So! Und wie heißt der Freund?"

„Sagen Sie, was soll das hier eigentlich? Sie fragen mich über mein Privatleben aus, als hätte ich etwas verbrochen. Das hat doch hier ganz und gar nichts mit der Sache zu tun."

Übung 44: Unterstreichen Sie sechs falsch geschriebene Wörter!

„Und ob! Immerhin müßen wir den Täter finden!"

„Und was hat das mit mir zu tun? Verdächtigen Sie mich etwa?"

„Wir verdechtigen prinzipiell niemanden, ohne stichhaltige Beweise zu haben. Also, wie heißt der Freund, der ..."

„Ist ja schon gut! Klaus von Freudenberg, er ist ein alter Schulfreunt. Wir waren im selben Internat."

„Wäre nett, wenn Sie mir noch die Adresse des Herrn notieren könten."

„Von mir aus." Eddie nahm sich einen Stifft und schrieb mit einer schönen geschwungenen Schrift eine Adresse auf. „Ich habe schon sehr lange nichts mehr von ihm gehört, keine Anung, ob die Adresse noch stimmt."

„Wir werden sie überprüfen. Vielen Dank."

„Kann ich jetzt gehen?"

„Ja, Sie können! Noch einen schönen Tag!", meinte Specht.

Übung 45: Unterstreichen Sie im folgenden Absatz die Adjektive!

In diesem Moment kam Eva wütend zur Tür hereingerauscht, wobei sie Eddie fast umrannte, der ihr entgegenkam.

„Einen schönen Tag, ha, dass ich nicht lache! Ich komme wegen dieser sinnlosen Herumlauferei gestern in keinen Schuh mehr hinein. Ich hatte meine schönen nagelneuen Schuhe an, noch nie getragen, und jetzt habe ich diese entsetzlich schmerzenden Blasen. Nur noch in diese alten, ausgelatschten Turnschuhe komme ich hinein. Schau mich an, ich sehe schrecklich aus! Oh, das tut so weh, trotz der vielen Pflaster, die ich auf die wunden Stellen geklebt habe, und trotz dieser Latschen!"

Übung 46: Was gibt es im Schuhgeschäft? Unterstreichen Sie!

Stiefel, Hosen, Röcke, Pantoffeln, Kleider, Latschen, Sandalen, Anzüge, Pumps, Mokassins, Blazer, Flip-Flops, Abendschuhe, Slipper, Stiefeletten, Mäntel

„Arme Eva! Dann würde ich sagen, du machst dir heute einmal einen schönen erholsamen Bürotag und recherchierst sämtliche Fakten über diesen Eddie. Ich will wissen, wo und wie er früher gelebt hat, welche Freunde er hatte, bis hin zu seiner Schuhgröße, jedes kleinste Detail."

„Schuhgröße, sehr lustig! Das ist der Dank dafür, dass ich mich so für dich und meinen Job einsetze. Und das bei dem Gehalt! Außerdem wollte ich heute ins Fitnessstudio gehen, da war ich schon seit Wochen nicht mehr. Aber mit diesen Blasen ..."

„Los, jetzt mach dich an die Arbeit und mosere nicht ständig herum! So läuft es nun einmal bei der Polizei."

„Hätte mir das einer vorher erzählt ..."

Specht schaute auf die Uhr. „Ich muss los!"

„Was heißt das?"

„Ich muss zu Huber, um ihn über den Fall Moosgruber zu informieren. Er hat heute schon um 7.00 Uhr angerufen."

„So früh warst du schon da?"

„Ja, ich konnte wieder einmal nicht schlafen."

„Na, darum beneide ich dich auch nicht. Viel Spaß bei Huber! Grüß ihn von mir", grinste sie.

Während Specht mit Huber sprach, machte sich Eva an die Arbeit. Sie fand heraus, dass Eduard von Wittelstein, so lautete Eddies vollständiger Name, der sie doch sehr überraschte, aus einem Adelsgeschlecht stammte, dessen kompletter Familienbesitz schon vor langer Zeit hatte veräußert werden müssen. „Ha, deshalb musste Eddie auch eine Lehre am Theater machen", kombinierte Eva. Die Aussage, dass er ein Internat besucht hatte, war richtig. Was sie noch nicht herausbekommen hatte, war die neue Anschrift seines Freundes. Hätten die beiden nicht einen unterschiedlichen Namen gehabt, wären die Lebensläufe fast identisch gewesen. Klaus von Freudenberg stammte, wie auch Eddie, aus einem verarmten Adelsgeschlecht.

ÜBUNG 47

Übung 47: Bringen Sie die Wörter in die richtige Reihenfolge! Fangen Sie dabei immer mit dem zuerst stehenden Wort an.

1. Heute – Eva – ins – gehen – wollte – Fitnessstudio

_____

2. Am – er – Abend – seinen – mit – Party – Freunden – feierte – eine

_____

3. Nach – Specht – ins – Büro – einer – kam – Stunde – wieder

_____

4. In – Telefon – Moment – klingelte – diesem – das

_____

5. Soeben – erhalten – Eva – Informationen – neue – hatte

_____

Eva mochte ihre Arbeit, auch wenn sie oft das Gegenteil behauptete. Und es machte ihr Spaß, zu recherchieren. Sie war praktisch die perfekte Ergänzung zu Specht, denn der hasste die Büroarbeit, den Computer und alles, was dazu gehörte. Das heißt – nicht alles.

Denn hinter seinem Schreibtischstuhl stand seine geliebte grüne Filztafel. An ihr hingen viele farbige Karteikarten in allen möglichen Größen. Auf diesen Kärtchen notierte Specht akribisch seine Gedanken und Fakten zum jeweils aktuellen Fall – und das alles handschriftlich, was bedeutete, dass es keiner außer ihm lesen konnte. Ansonsten war er lieber draußen, redete mit den Leuten und schaute sich am Tatort um – der geborene Schnüffler eben.

Evas Telefon klingelte. „Hansen", meldete sie sich und hörte konzentriert zu. Als sie den Hörer auflegte, leuchteten ihre Augen. Soeben hatte sie die noch fehlenden Informationen über Klaus von Freudenberg erhalten. Er lebte in der Ludwigsstraße 6 in Füssen und war schon seit einiger Zeit als Verwalter im Schloss Neuschwanstein tätig.

Übung 48: Füllen Sie die Lücken mit der richtigen Alternative!

Als Specht nach einer Stunde wieder ins Büro kam, 1. _____ (setzte/saß) Eva gerade Kaffee auf. „Eva, hast du nichts Besseres zu tun?"

„So eine Frechheit!", dachte sie sich. „Typisch, kommt 2. _____ (zum/vom) Chef zurück und lässt seine schlechte Laune an mir aus. Na warte ..." Aber laut sagte sie: „Ist es jetzt schon 3._____ (verboten/erlaubt), Kaffee zu kochen? Du trinkst doch um diese Zeit auch immer eine Tasse. Oder hattest du das Vergnügen schon bei unserem Chef?"

„Nein, hatte ich nicht. Huber hat mir wieder einmal 4. _____
(den Himmel/die Hölle) heiß gemacht. Wo es nur geht, bohrt er
und lässt nicht locker. Als ob die Fälle so schneller 5. _____
(gelöst/verwirrt) werden könnten. Du kennst ihn doch und seine
Sprüche: ‚Ich will Erfolge sehen, Specht, Erfolge! Habe ich mich
klar ausgedrückt?‘ Und so weiter und so fort.“

„Du Armer! Willst du zur Aufmunterung meine Erfolge sehen?“
„Soll ich deinen Kaffee probieren, oder was?“
„Paul, du bist gemein. Das macht echt keinen Spaß. Ich kann doch
nichts dafür, dass Huber dich unter Druck setzt. Also, bitte lass es
nicht an mir aus!“
„Entschuldige, Eva, ich hab's nicht so gemeint. Aber diese ständi-
ge Fragerei von Huber macht mich noch wahnsinnig. Als hätten
wir nicht schon genügend Probleme am Hals! Also, welche Erfol-
ge?“
Eva zeigte ihm stolz, was sie herausbekommen hatte.
„Na, das bestätigt meinen Verdacht, dass Eddie irgendetwas mit
der Tat zu tun haben muss. Geld war schon immer ein Motiv.“
„Wie kommst du denn darauf, Paul? Bisher haben sich die Herren
Freudenberg und Wittelstein doch noch gar nichts zuschulden
kommen lassen.“
„Ja, zumindest steht das nicht in den Akten.“
„Na, Hellseherin bin ich noch keine!“
„Wir werden den lieben Eddie einmal ein bisschen unter die Lupe
nehmen. Vielleicht sollten wir auch einen kleinen Ausflug zum
Schloss des Märchenkönigs machen.
„Neuschwanstein?“

„Ja!"

„Hast du ‚wir' gesagt?"

„Das habe ich!"

„Weißt du eigentlich, dass ich es noch immer nicht geschafft habe, mir diese wunderschönen romantischen Schlösser anzuschauen?"

Übung 49: Ordnen Sie die Buchstaben in den Klammern zu Wörtern!

1. _____ (tetlabt)

2. _____ (fegrabung)

3. _____ (hedisendem)

4. _____ (rochel)

5. _____ (nakte)

6. _____ (vachterd)

„Dann wird es höchste Zeit. Aber vor den Schlössern ist Eddie noch einmal dran. Ich werde ihm heute einen Besuch im Autosalon abstatten – ganz nach dem Motto: Wie mache ich einen Verdächtigen nervös? Ein bisschen unsicher kam er mir schon bei der Befragung vor."

„Sollten wir den Schuldigen, der Minnie entführt und die fette Beute von 500.000 Euro einkassiert hat, tatsächlich finden, werden wir Huber den Täter auf einem Silbertablett servieren. Was hältst du davon?", witzelte Eva. „Und als Dank bekommst du von Moosgruber so ein tolles pinkfarbenes Seidenhemd, das würde dir sicherlich gut stehen."

„Ja, Eva, und dir kaufen wir endlich einmal vernünftige Schuhe, die soll Moosgruber auch noch springen lassen."

„Paul!", sie nahm den Locher in die Hand und drohte, damit nach ihm zu werfen.

In diesem Moment kam Waltraud Waldbauer, Hubers Sekretärin, ins Zimmer. „Huch, was passiert denn hier? Aber was sich neckt, das liebt sich ja! Eigentlich komme ich nur zu Ihnen, um Ihnen den Stift zu bringen, den Sie, Herr Specht, heute bei Herrn Huber vergessen haben." Kichernd verließ sie das Büro.

„Nun gibt's wieder ein bisschen Gesprächsstoff für die Kollegen!"

Übung 50: Beantworten Sie die Fragen zum Text!

1. Wo hat Eddie früher gearbeitet?

_____

2. Wer ist Klaus von Freudenberg?

_____

3. Was hat Eva auf die wunden Stellen an ihren Füßen geklebt?

_____

4. Was machte Eva, als Specht nach einer Stunde wieder ins Büro kam?

_____

5. Womit wollte Eva nach Paul werfen?

_____

6. Warum kam Hubers Sekretärin ins Zimmer?

_____

Specht war auf dem Weg zu Moosburger und dachte über Eva nach. Sie war manchmal ganz schön frech. Es gefiel ihm, wenn Frauen nicht auf den Mund gefallen waren. Außerdem, das musste er zugeben, sah sie nach wie vor sehr hübsch aus. Das Handy holte ihn in die Wirklichkeit zurück.

„Specht, du kannst gleich wieder zurückfahren." Evas Stimme klang aufgeregt.
„Warum denn das?"
„Wir beiden machen einen Ausflug!"
„Aha, und wohin?"
„Wir wandeln auf den Spuren des Märchenprinzen ..."
„Wie bitte? Eva, nun sag schon, was los ist. Lass dir doch nicht alles aus der Nase ziehen!"
„Folgendes: Im Schloss Linderhof, wo immer das ist, gab es einen Einbruch. Der Spiegelsaal soll ziemlich verwüstet worden sein. Wir sollen gleich hinfahren! Also, was ist – kommst du nun oder nicht?"
„Kann das nicht Brixen übernehmen oder ist der schon wieder im Urlaub?"
„Huber hat gesagt, Brixen hätte zu viel zu tun und wäre unabkömmlich."
„Mir wird schlecht."
„Das war aber Originalton Huber, ich schwöre es dir. Also bis gleich, Paul!"

Auf dem Weg zum Schloss Linderhof redete Specht wieder einmal über sein Lieblingsthema, die bayerische Geschichte und König Ludwig II. Eva hörte gespannt zu. Es war interessant, was er erzählte, und sie fand es toll, wie viel er darüber wusste. Und weil sie seine Stimme mochte, stellte sie ihm immer neue Fragen.

Übung 51: Setzen Sie das richtige Wort in die Lücke (Schrank, Sofa, Stuhl, Kommode, Bett, Teppich, Schreibtisch, Regal)!

1. In einem _____ schläft man in der Nacht.

2. An einen _____ setzt man sich, um zu arbeiten.

3. Ein _____ dient zum Aufbewahren von Kleidung.

4. Ein _____ liegt auf dem Boden.

5. In ein _____ kann man Bücher stellen.

6. Im Deutschkurs sitzt man auf einem _____ .

7. Auf einem _____ hält man gerne ein Nickerchen.

8. In einer _____ kann man Wäsche aufbewahren.

„Paul, bitte, erzähl mir mehr über Schloss Linderhof."

„Wenn du mich so sehr darum bittest." Specht fing dankbar an, zu erzählen: „Schloss Linderhof gehört zu den schönsten Schlössern überhaupt, neben Neuschwanstein und Herrenchiemsee. Millionen von Menschen aus aller Welt besuchen sie jedes Jahr. Der Bau soll sogar für damalige Verhältnisse ein Vermögen gekostet haben. Aber dieses Geld wurde durch die Eintrittsgelder längst wieder eingenommen. Von seinen Kritikern wurde König Ludwig II. Verschwendungssucht vorgeworfen. Aber kein deutscher Fürst hat jemals einen solchen Reichtum hinterlassen. Und es ist auch keiner noch so populär wie er. Er war aber auch besonders vielseitig: Viele Leute denken zum Beispiel, dass Linderhof oder Herrenchiemsee Kopien französischer Vorbilder sind. Aber das ist nicht richtig. Alle Möbel in Herrenchiemsee – auch das Königsbett –

sind nach den Plänen des Königs selbst entworfen worden. Sein Bühnenarchitekt Georg von Dollmann ..."

„Königsbett ...", sagte Eva, „da war doch was?"

„Ja, da schlief der König."

„Superlustig, Paul! Bei meinen Recherchen in Sachen Königsgrab habe ich doch unter anderem Diebstahlsdelikte in Kirchen und Schlössern untersucht. Und dabei bin ich auf einen Artikel gestoßen, in dem stand, dass jemand in Schloss Herrenchiemsee eingebrochen wäre."

„Habe ich wohl überlesen!"

Übung 52: Ordnen Sie die Buchstaben zu Wörtern!

1. _____ (lömbe)

2. _____ (cherik)

3. _____ (nenibecher)

4. _____ (zungeit)

5. _____ (breischen)

6. _____ (grintuch)

„Das ist auch schon ein paar Jahre her. Zumindest verwüstete damals auch jemand das Schlafzimmer des Königs. Na ja, die Zeitungen schreiben viel, wenn der Tag lang ist. Aber kommt dir das nicht auch seltsam vor? Sobald wir wieder zurück sind, werde ich mich einmal schlaumachen."

„Huuuuuu, der Geist des Königs rächt sich und treibt ruhelos umher, wie gruselig!" Er grinste sie an. „Nun gut! Entschuldige, ich wollte dir ja etwas über Schloss Linderhof erzählen ..."

Übung 53: Ergänzen Sie den Artikel und die Pluralform!

1. _____ Tal   die _____

2. _____ Kloster   die _____

3. _____ Fontäne   die _____

4. _____ Geschmack   die _____

5. _____ Mund   die _____

6. _____ Eingang   die _____

7. _____ Schlösschen   die _____

8. _____ Jahreszeit   die _____

9. _____ Krawatte   die _____

10. _____ Nummer   die _____

Specht fuhr gerade die Landstraße nach Garmisch entlang, um dann in Richtung Farchant abzubiegen. „Viel gibt es aber nicht mehr zu erzählen. Außerdem wirst du es ja gleich selbst sehen. Schloss Linderhof liegt im Graswangtal in der Nähe des Klosters Ettal. Es ist das kleinste, manche behaupten auch das schönste Königsschloss. Ein Rokokoschlösschen fast im Stile von Grand Trianon in Versailles. Die Fontäne im Garten, die aber zu dieser Jahreszeit wahrscheinlich abgestellt ist, hat eine Höhe von etwa 35 Metern. Die Einrichtung ist, wie alles, eine Geschmacksfrage. Ich finde, dass es etwas überladen wirkt. Es gibt ein Spiegelzimmer mit aufwändigen Goldverzierungen, dann kann ich mich noch an den Meißner Porzellanlüster erinnern und natürlich an die Venusgrotte."

„Die ist in Linderhof? Wie romantisch!"

Sie parkten und gingen in Richtung Schloss. Eva bekam vor Begeisterung ihren Mund nicht mehr zu. Specht griff zum Handy und wählte die Nummer des Schlossverwalters, die ihm Eva eingespeichert hatte.

„Specht, Kripo München. Ja, wir sind gerade eingetroffen. Wir warten dann vor dem Haupteingang."

Und da kam er auch schon: Ein älterer hagerer Mann, ungefähr zwei Köpfe kleiner als Specht. Er trug einen karierten Anzug und statt einer Krawatte ein Halstuch. Er erinnerte Specht an einen seiner ehemaligen Englischlehrer, und das waren keine schönen Erinnerungen, dachte er an seine Noten zurück ...

Übung 54: Welches Wort ist das schwarze Schaf?

1. Mathematik – Taschenrechner – Geometrie – Algebra
2. Musik – Physik – Chemie – Biologie
3. Deutsch – Englisch – Spanisch – Wörterbuch
4. Schwimmen – Sport – Leichtathletik – Geräteturnen

„Grüß Gott, Sigmund Wachmüller-Schuster ist mein Name."

„Oje", dachte sich Specht. „Der Name passt."

Eva schmunzelte.

„Angenehm, Specht, und das hier ist meine Kollegin Hansen. Was ist vorgefallen?"

„Ja ...", er rückte seine kleine runde Brille zurecht. „Es waren auch schon Polizisten in Uniform hier." Nach diesem Satz fing er an zu hüsteln.

„Wenn der weiter so langsam und gestelzt sprechen sollte", dachte sich Specht, „stehen wir noch übermorgen hier."

Herr Wachmüller-Schuster fuhr fort: „Also, der Wachmann hat

bemerkt, dass das Schloss des Nebeneingangs aufgebrochen wurde. Und im Schlafzimmer des Königs haben diese Vandalen den antiken Holzboden aufgebrochen! Wie kann denn jemand so etwas machen? Gibt es denn keinen Respekt mehr auf dieser Welt?"

„Herr Wachmüller-Schuster, könnten Sie uns bitte in das Schlafzimmer bzw. an den Tatort führen?", fragte Eva höflich.

„Selbstverständlich, kommen Sie."

Wenig später standen sie im ehemaligen Schlafzimmer des Königs. Eva blieb vor dem Königsbett stehen, blickte nach oben und schaute sich den reich verzierten Baldachin an. Der Verwalter und Paul knieten am Boden und begutachteten den Schaden. Ein ungefähr 50 Zentimeter großes Loch, das in etwa die Form eines Quadrats hatte, war zu sehen. Specht fiel auf, dass jemand sehr sauber gearbeitet hatte, das Holz war fein säuberlich ausgesägt.

ÜBUNG 55

Übung 55: Welcher Handwerker ist das?

1. Er arbeitet mit Holz.　　　　　_____

2. Er baut Mauern.　　　　　_____

3. Er fliest das Bad.　　　　　_____

4. Er legt Schindeln aufs Dach.　　　　　_____

5. Er setzt Scheiben ins Fenster ein.　　　　　_____

„Hatten Sie in letzter Zeit Handwerker im Haus, äh, im Schloss?", fragte Specht.

Der Verwalter antwortete: „Hier sind immer Handwerker zugange, wenn sie hinten fertig sind, können sie vorn wieder anfangen. Das ist nun einmal so."

„Wir brauchen Namen und Adressen. Zudem würde ich mir gerne einmal die Personalakten der Angestellten anschauen."

„Herr Kommissar, für die Leute, die hier arbeiten, lege ich meine Hand ins Feuer."

„Das haben schon viele gesagt. Wenn Sie sich da einmal nicht verbrennen!"

„Die Leute arbeiten schon seit Jahren hier! Aber wenn Sie wollen, können Sie die Akten selbstverständlich einsehen. Übrigens: Ihre Kollegen haben Fotos gemacht. Und den Handschuh, den wir gefunden haben, haben sie auch mitgenommen."

„Handschuh?"

„Ja, ein weißer Handschuh."

Als Paul Specht und Eva Hansen endlich nach München zurückfuhren, war es schon dunkel.

Übung 56: Beantworten Sie die Fragen!

1. Wohin fuhren Specht und seine Assistentin diesmal?

_____

2. Was wurde im Schlafzimmer aufgebrochen?

_____

3. Wie sah das Loch im Boden aus?

_____

4. War es noch hell, als Eva und Paul zurückfuhren?

_____

„Wenn ich all diese Akten von den Angestellten prüfen muss, dann bin ich noch nächstes Jahr beschäftigt."

„Es muss aber leider sein. Du solltest das Ganze unter einem anderen Gesichtspunkt sehen: Immerhin hast du heute eine ganz persönliche Schlossbesichtigung bekommen."

„Ja, und das war wirklich toll."

„Weißt du, welche Geschichte mich einfach nicht loslässt? In Nymphenburg wurde doch auch dieser Handschuh gefunden. Wenn das die Presse erfährt, steigt der unruhige Geist des Königs erneut aus dem Sarg. Und vor allem: Was könnte der Täter suchen?"

„Schmuck, Geld ... was gibt es denn sonst noch für einen Schatz?"

„Tja, Eva, wenn wir das wüssten, wäre uns der Freistaat Bayern zu Dank verpflichtet. Außerdem könnte ich dann endlich wieder ausschlafen und ins Fitnessstudio gehen, ein bisschen Aerobic machen."

Evas Augen blitzten. Sie drehte schnell ihren Kopf zur Seite und schaute aus dem Fenster.

„Und übrigens, ich komme morgen etwas später ins Büro, so gegen 11 Uhr. Ich möchte noch einmal die ganzen Orte aufsuchen, an denen diese mysteriösen Vorfälle stattgefunden haben."

„Aber bitte nur die in München, ja? Lass mich bloß nicht so lange allein. Sonst muss ich am Ende noch zu Huber."

„Das wäre ihm bestimmt lieber."

„Sehr witzig!"

Doch auch die Überprüfung der Angestellten von Schloss Linderhof brachte keine Erfolg versprechenden Resultate. Das einzig Neue war, dass der gefundene Handschuh ebenfalls mit dem Monogramm „LvB" bestickt war. Dass dies eindeutig auf Ludwig von Bayern zurückzuführen sei, bestätigte ein Historiker, der ein umfangreiches Gutachten dazu ablieferte. Eva hätte nie gedacht, dass man über drei Buchstaben so viel schreiben konnte.

Übung 57: Setzen Sie die Präpositionen an der richtigen Stelle ein (bei, ans, von, in, auf, um, an, in)!

Die grüne Filztafel 1. _____ Spechts Büro glich einem Flickenteppich – wie immer, wenn es um einen komplizierten Fall ging. Sie war über und über mit farbigen Karteikärtchen behängt. Alles, was er für wichtig hielt, klebte 2. _____ dieser Wand, die er immer wieder gebannt studierte. Das hatte ihn schon oft 3. _____ die entscheidende Idee und 4. _____ Ziel gebracht. Doch dieses Mal half auch diese Methode nichts. Zusätzlich erfreute der Einbruch 5. _____ Schloss Linderhof vor allem die Zeitungen, die jetzt wieder voll mit Schlagzeilen rund 6. _____ die König-Ludwig-Geisterstory waren. Huber war darüber sehr verärgert. Außerdem wollte Moosburger sein Lösegeld zurückhaben. Und als wenn das alles nicht schon genug wäre, streute Hubers Sekretärin auch noch neue Gerüchte in Sachen Specht und Hansen unters Volk. Eva war genervt und überarbeitet – und Specht auch. Und wer triumphierte? Brixen!

„Der ganz normale Wahnsinn 7. _____ der Münchner Kripo", stellte Specht trocken fest. „Eva, was hältst du 8. _____ einem kleinen Ausflug?" Dabei steckte er sich ein Schokobonbon in den Mund.

„Kommt darauf an, wohin. Ich habe jetzt wirklich keine Lust, ins Fitnessstudio zu gehen."

„Nein, nein, wir werden morgen früh zum Schloss Neuschwanstein fahren. Ich werde gleich noch einmal mit Huber sprechen. Und du machst am besten für heute Feierabend, es ist sowieso schon halb sieben. Und Eva, nimm Klamotten zum Wechseln mit, man weiß ja nie."

„Meinst du, es könnte sein, dass wir über Nacht bleiben?"

„Ich weiß es nicht! Aber es wäre vielleicht ganz lustig: Wir könnten ein bisschen das Gerücht schüren, von dem du mir erzählt hast."

„Paul, bitte!"

„Das war nur ein Scherz! Ich denke, wir sollten endlich einmal diesen Herrn von Freudenberg kennenlernen."

„Du meinst den ehemaligen Freund von unserem Eddie?"

„Genau den!"

„Hast du etwa einen Verdacht?"

„Ja ... nein ... ich weiß es nicht ... mal sehen ...!"

„Das ist ja eine überaus klare Auskunft! Aber zusammengefasst heißt das, dass ich morgen mit einem Koffer ins Büro komme."

„Eva, wir verbringen dort eventuell eine Nacht, also nimm eine ganz, ganz kleine Tasche!"

„Nun gut, ich habe verstanden! Im allergrößten Notfall kann ich mir ja auch vor Ort noch etwas besorgen."

„Eva?"

„Ja!", antwortete sie unschuldig.

„Und wir werden nicht einkaufen gehen!"

„Was hat Huber gesagt?", fragte Eva, als sie bereits im Auto auf dem Weg nach Füssen waren.

„Er meinte, ich solle meiner Assistentin einmal ein bisschen Bayern zeigen."

Übung 58: Unterstreichen Sie sechs Wörter, die falsch geschrieben sind!

Wie Huber wierklich reagiert hatte, sagte er ihr lieber nicht. Denn der war wieder einmal stincksauer, weil es im Fall Moosgruber nicht weiterging. Ausserdem hatte er nicht gerade eine Lobeshymmne gesungen, als Specht ihm erzählt hatte, dass es auch bezüglich der mysteriösen Einbruchsdelickte noch nichts Neues gab. Irgendwan, dachte Specht, suche ich mir wirklich noch einen anderen Job, vielleicht werde ich dann auch Schlossverwalter oder Fremdenführer, wer weiß?

„Wie meint er das denn, unser Herr Huber?" Eva riss ihn aus seinen Gedanken.

Specht grinste. „Er hat den Koffer gesehen, den dir heute Morgen der Hausmeister hochgetragen hat, weil er für dich offensichtlich zu schwer war. Eva, ich habe dir doch gesagt, nimm nur ein paar Sachen für eine eventuelle Übernachtung mit. Und du hast Klamotten für zehn Tage dabei! Vielleicht fahren wir heute Nachmittag schon wieder zurück."

„Das wäre aber schade! Außerdem ist morgen Wochenende und wir hätten theoretisch beide dienstfrei!" Eva zog die Stirn hoch, sodass sich eine kleine Falte bildete. Er mochte diese kleine Falte und auch ihre Grübchen, wenn sie lächelte. „Außerdem sind es wirklich nur ein paar Sachen!", setzte sie nach. „Wie fahren wir eigentlich?"

„Wir fahren über die Lindauer Autobahn, dann auf die B16 über Kaufbeuren nach Füssen."

„Aha, in dieser Gegend war ich bisher noch gar nicht. Ich bin schon ganz neugierig."

Als sie die Straße nach Füssen fuhren, meinte Specht galant:

„Wenn ich nun um Ihre Aufmerksamkeit bitten dürfte, meine Dame, hier ist es."

Eva war sprachlos und riss ihre Augen auf. „Paul, das ist ja wunderschön! Es sieht aus wie die Kulisse aus dem Märchen *Dornröschen*. Und was ist das da rechts?"

„Das ist Hohenschwangau. Auf diesem Bergschloss seines Vaters Maximilian verbrachte König Ludwig II. die meisten Jahre seines Lebens."

„Auch sehr schön, aber Neuschwanstein finde ich noch beeindruckender. Von da oben hat man bestimmt einen wunderbaren Ausblick."

!

ÜBUNG 59

Übung 59: Was konnte man alles in und um ein historisches Schloss finden? Unterstreichen Sie!

Spülmaschine, Zugbrücke, Wassergraben, Königin, Stereoanlage, Prinzessin, elektrisches Licht, Kerzenleuchter, Fernseher, Folterkammer, Rüstungen, Computer, Ritter, Waffen, Diener, Waschmaschine, Kühlschrank

„Stell dir einmal vor, wie anstrengend es gewesen sein muss, dieses Schloss zu bauen. Es liegt fast 1000 Meter hoch!"

„Aber euer Ludwig hat es geschafft!"

„Nicht ganz. Bei seinem Tod im Jahre 1886 war das Schloss noch nicht vollendet. Der begonnene Bergfried, das ist ..."

„Der größte Turm einer Burg."

Specht nickte. „Also der Bergfried blieb liegen, seine Fundamente sind im Hof zu sehen. Die Kemenate auf der Südseite wurde erst 1891 fertig gestellt."

„Du verblüffst mich immer wieder."

„Tja, wenn man sich für ein Thema interessiert ... Für wann hast du den Termin mit dem Schlossverwalter vereinbart?"

„Erst für 17.30 Uhr. Wir sollen uns am Haupteingang beim Pförtner melden, dann wird uns Herr von Freudenberg abholen."

„Bin ja mal gespannt auf Eddies Freund. So, und bis dahin werden wir an einer offiziellen Schlossführung teilnehmen. Was denkst du?"

„Liebend gern!"

Sie parkten ihr Auto auf dem großen Parkplatz, auf dem nicht nur viele Pkws, sondern auch etliche Busse standen. Direkt vor ihnen ragte Schloss Neuschwanstein in die Höhe. Specht ging zu den Kassen und löste zwei Tickets. In ewig langen Schlangen standen die Touristen und warteten auf die deutschen, englischen, französischen oder italienischen Führer.

Übung 60: Suchen Sie fünf nicht dazupassende Sätze!

Dann ging es los. Eva und Paul zogen sich ihre Schlittschuhe an. Eine junge Frau begrüßte die Gruppe und fing an zu erzählen. „Bestimmt Studentin", tippte Eva. Ihre Stimme klang monoton und sie machte einen ziemlich gelangweilten Eindruck. Dafür sang der König umso schöner. „Im Mittelalter stand hier die Burg Vorderhohenschwangau. Der Bayernkönig Ludwig II. ließ 1869 die jetzige Burg im Stil der Romantik errichten, in der Art deutscher Ritterburgen, wie er selbst sagte." Sie hüstelte. Im Fernsehen lief gerade Werbung und Paul holte sich ein neues Glas Wein aus der Küche. „Das Innere ist, wie Sie gleich sehen werden, eine Huldigung an Richard Wagner. Die vielen Malereien thematisieren – wie auch die Musik Wagners – die Mythen des Mittelalters: Lohengrin, Tannhäuser und Tristan. Im Sommer wollte Eva vielleicht nach Lateinamerika fahren. In der zumeist bedrückenden

Pracht der Innenausstattung finden sich viele kunstvolle Details. Das neue Fitnessgerät glich wirklich einem Folterinstrument."

„Mama, ist das langweilig! Außerdem habe ich Hunger!", quengelte das Kind vor Eva und Specht.

„Psssst, bist du jetzt ruhig!? Nun komm schon, wir gehen jetzt in das Innere des Schlosses, da gibt es bestimmt auch eine Folterkammer."

„Wenn der Kleine weiter so nervt, ist das genau der richtige Ort für ihn", flüsterte Specht.

„Specht, benimm dich!"

„König Ludwig II. liebte die Natur", sprach die Führerin weiter. „Seine größte Sorge war, dass der Bau von Neuschwanstein die Schönheit der Umgebung zerstören könnte. Er gab den Bauleuten sehr genaue Anweisungen. Wie Sie ja bereits von außen gesehen haben, ist das auf eine beeindruckende Art und Weise gelungen." Mittlerweile stand die Gruppe im Schlosshof. „Hier ist der obere Schlosshof mit Kemenate, Palais und Ritterhaus. Wir begeben uns jetzt in den Thronsaal ..." Eva schaute sich interessiert um. Dann gingen sie in das Wohnzimmer des Schlosses, in dem ein herrliches Teppichgemälde an der Wand hing. Von da aus folgten sie der Führerin in Ludwigs Arbeitszimmer. Als sie gerade erzählte, dass es sich lohne, sein Augenmerk auf die Wandbilder zu richten, passierte es.

Übung 61: Ergänzen Sie die Wörter jeweils mit denselben zwei Buchstaben!

1. l __ t   __ ch   __ s

2. S __ nsation   __ tfernt   __ glisch

3. r __ nten   Ver __ kerung   g __ z

4. b __ s __ te   dab __   kl __ n

5. g __ rig   post __ ren   versch __ den

6. dr __ en   beg __ ren   verz __ ren

Ein unglaublich lauter Knall kam aus dem Wohnzimmer. Eva zuckte zusammen. Schon stürmten die ersten Touristen aufgeregt in den Raum, aus dem das Geräusch gekommen war. „Sensationsgieriges Volk!", schoss es Eva durch den Kopf, als sie sich in Richtung Wohnzimmer bewegte, um zu sehen, was passiert war. Dabei wurde sie von einem fülligen Amerikaner beiseitegedrängt, dem eine Gruppe Japaner folgte, die noch während des Laufens ihre Kameras zückten. Ein „Oh" und „Ah" gingen durch die Menge. Eva sah sich nach Specht um. „Alles klar", dachte sie sich. „Der Kommissar ist wieder einmal ganz vorn mit dabei." Und da sah sie auch schon die Bescherung: Der kostbare Wandteppich lag am Boden. Offensichtlich hatte er sich aus der Verankerung gelöst. Pförtner kamen angerannt und postierten sich vor der Unfallstelle, um das kostbare Stück zu schützen. Einer der Pförtner hielt sich ein Handy an sein Ohr und nickte wichtig, als ob ihn derjenige, mit dem er sprach, sehen konnte. Die Führer drängelten sich durch die unruhige Menge und versuchten, ihre Gruppen wieder einzusammeln.

„Keine Aufregung, hier handelt es sich bloß um ein kleines Missgeschick! Bitte kommen Sie, die Führung geht weiter", hieß es in den verschiedenen Sprachen.

„Ein kleines Missgeschick, hast du so etwas schon einmal erlebt?", fragte Eva.

„Nein, weiß Gott nicht. Was aber auch alles passieren kann?! Stell dir vor, wenn gerade Touristen darunter gestanden hätten ... Komm, lass uns weitergehen! Hier waren bestimmt keine kriminellen Machenschaften im Spiel, die wir aufklären müssen! Außerdem sind wir ja zu unserem Vergnügen hier", grinste Specht und forderte Eva durch eine Geste auf, ihm und der Gruppe zu folgen.

Übung 62: Bilden Sie aus zwei Wörtern ein zusammengesetztes! Denken Sie an die Artikel!

1. _____ Tag	a. _____ Gruppe	_____
2. _____ Leben	b. _____ Zimmer	_____
3. _____ Speise	c. _____ Ordnung	_____
4. _____ Blut	d. _____ Tasche	_____
5. _____ Touristen	e. _____ Erfahrung	_____
6. _____ Schlaf	f. _____ Fleck	_____
7. _____ Hand	g. _____ Saal	_____

Die deutschsprachige Schlossführerin tat so, als ob solche Vorfälle an der Tagesordnung wären, und erzählte weiter: „Ludwig II. war erst 18 Jahre alt, als er 1864 den Thron bestieg – praktisch ohne Lebens- oder Politikerfahrung, aber von den Frauen schwärmerisch verehrt. Im Rückblick äußerte er 1873: *Ich bin überhaupt viel zu früh König geworden. Ich habe nichts gelernt. Ich hatte so schön angefangen, Staatsrecht zu lernen. Plötzlich ward ich herausgerissen und auf den Thron gesetzt. Nun, ich suche noch zu lernen ...*"

Da wurde sie von einer Schweizer Touristin unterbrochen: „Wie war eigentlich König Ludwigs Verhältnis zu seinen Eltern?"

Die Führerin antwortete trocken wie ein Lexikon: „Ludwig und sein Bruder Otto wurden streng und pflichtbewusst erzogen. Die Eltern Maximilian II. von Bayern und Marie von Preußen hielten Distanz. Ludwig kostümierte sich gern, zeigte Freude am ..."
„Bekomme ich jetzt endlich etwas zu essen?", unterbrach sie das quengelnde österreichische Kind. Alle in der Gruppe mussten schmunzeln, sodass die junge Dame für einen Moment innehielt, aber gleich wieder fortfuhr. Dabei hob sie ihre Stimme.

Übung 63: Welche Wörter gehören zum Thema Essen, welche zum Thema Trinken? Sortieren Sie!

speisen, schmatzen, schlürfen, verzehren, saufen, bechern, nagen, zechen, vertilgen, fressen, schlabbern, nippen

essen: _____

trinken: _____

ÜBUNG 63

„Ludwig zeigte Freude am Theaterspielen, liebte Bilder und dergleichen und schenkte gerne anderen von seinem Eigentum – sowohl Geld als auch Gegenstände. Das hat seine Mutter vermerkt."
„Hätte man auch kürzer sagen können", meinte jemand leise in der Gruppe und gähnte dabei. „So werden wir nie fertig." Mittlerweile war die Gruppe im großzügigen Speisesaal angekommen.
„An den Wänden sehen Sie Szenen mit Minnesängern auf der Wartburg ..."
„Mama, Mama!" Dieser Junge hörte einfach nicht mit dem Quengeln auf und zog an der Strickjacke seiner Mutter. Als sie nicht reagierte, versuchte er es bei seinem Vater: „Guck mal, Papa! Da ist

ein großer Blutfleck, der ist bestimmt vom König." Specht hörte, wie der Mann sich bei seiner Frau beschwerte und ihr vorwurfsvoll zuraunte: „Das kommt nur davon, weil der Junge ständig vorm Fernseher sitzt."

ÜBUNG 64

Übung 64: Wer ist das?

1. Der Vater Ihres Vaters _____

2. Die Frau Ihres Bruders _____

3. Die Tochter Ihrer Tante _____

4. Der Sohn Ihrer Tochter _____

5. Die Mutter Ihres Großvaters _____

6. Ihre Mutter und Ihr Vater _____

7. Die Schwester Ihres Vaters _____

Die Schlossführerin erzählte und erzählte. Auch Eva musste schon gähnen. „Die selbst gewählte und geradezu poetische Einsamkeit König Ludwigs war auf Dauer nicht mit seinen Pflichten als Staatsoberhaupt zu vereinbaren. Außerdem drohten die Banken seit dem Jahr 1885 mit Pfändungen. Da der König eine rationale Reaktion darauf verweigerte, wurde er 1886 für unmündig erklärt und durch die Regierung abgesetzt – ein Vorgehen, das die bayerische Verfassung nicht vorgesehen hatte. Ludwig II. wurde dann in Schloss Berg in Gewahrsam genommen. Und nur einen Tag, nachdem der Psychiater bei ihm war, der das Unmündigkeitsattest verfasst hatte, kam Ludwig unter ungeklärten Umständen im Starnberger See ums Leben."

„Wie unheimlich!", bemerkte jemand aus der Gruppe.

Eva schaute Specht an: „Das hast du mir aber ganz anders erzählt."

„Ich habe dir doch gesagt, dass es auch Leute gibt, die das anders auffassen. Ob Kritiker oder Königstreue – sie haben alle eins gemeinsam: Sie waren nicht dabei!"

„Genau!", sagte der Vater des österreichischen Kindes, der ihr Gespräch offensichtlich belauscht hatte.

Die Touristengruppe ging in das Schlafzimmer König Ludwigs, in dem sich auch das reich verzierte Bett befand. „Der Mythos um den König wurde schon zu Lebzeiten gebildet, woran er selbst aber nicht ganz unschuldig war. Ich darf zitieren: *Ein ewiges Rätsel will ich bleiben mir und anderen.* Seine Schlösser, die nie ein Fremder betreten sollte ..."

„Blut ...! Blut ...! Da ist ein riesengroßer Blutfleck!", schrie eine alte Dame, die sich etwas von der Gruppe entfernt hatte und an einem der Fenster stand, um sich das großartige Alpenpanorama anzuschauen. „Sag ich doch!", reagierte der österreichische Junge ziemlich trocken.

Übung 65: Welche Wörter können Sie nicht beim Arzt hören? Unterstreichen Sie!

das Blut, der Blutdruck, blutdürstig, die Blutprobe, die Blutwurst, die Blutuntersuchung, die Blutanalyse, die Blutsverwandtschaft, das Blutkörperchen, der Blutsbruder, das Blutbild, der Blutspender, blutjung, die Blutung, die Bluttat, warmblütig, die Blutorange, das Blutbad, blutüberströmt

ÜBUNG 65 !

Spechts Aufmerksamkeit regte sich und auch die Schlossführerin schaute neugierig in die Ecke. Neben der alten Frau kniete bereits ein junges Mädchen. Sie sammelte gerade die Utensilien ein, die aus der Handtasche der alten Dame gefallen waren, als diese sie vor Schreck hatte fallen lassen. „Oma, beruhige dich doch! Da ist doch gar nichts! Warum hast du auch wieder deine Brille vergessen?" Sie nahm sie an der Hand und kam mit ihr in die Richtung des Bettes, wo auch die anderen standen. Specht versuchte sich unauffällig an die Stelle am Fenster zu schleichen, an der er den Blutfleck vermutete. Und siehe da, da war tatsächlich eine große Pfütze, und ja, die Flüssigkeit konnte Blut sein! Er wollte aber auf keinen Fall irgendjemanden unnötig beunruhigen. Vielleicht war die ganze Sache ja auch nur ein Touristengag – und zwar nach dem Motto: Huu, wie gruselig! In zwei Stunden würden sie sich ja mit dem Schlossverwalter treffen. „Mal sehen, was der dazu zu sagen hat", dachte sich Specht. Wenig später betrat die Gruppe die gewölbte Säulenhalle, die eine – für damalige Verhältnisse – sehr komfortable Küche darstellte.

„Hilfe! Das ist ja wie in der Geisterbahn!", rief ein Mann erschrocken, als ihm ein Topf, der aus einem Regal rutschte, vor die Füße flog.

Kurz darauf knallte ein Pfanne vor Eva auf den Tisch, auf den sie sich gerade abstützte. „Specht!", schrie sie verängstigt. Da die Kupferpfannen an Haken aufgehängt waren, stellte sie sich die berechtigte Frage, wie sich eine der Pfannen hatte lösen können.

!

ÜBUNG 66

*Übung 66: Setzen Sie die Wörter ein (**Boden, ausnahmslos, Reisegruppe, Richtung, ohnmächtig, Geisterhand, aufgerissenen, Schlafzimmer**)!*

Die Gruppe traute ihren Augen nicht, als der Tisch von der rechten Seite ganz allein auf die linke Seite des Zimmers rutschte. Das alles passierte wie von 1. _____. Für einen Moment herrschte absolute Stille, doch dann kreischten alle los und fingen an, wie wild durcheinanderzurennen. Als sich dann auch noch die Stühle wie von selbst bewegten, beeilten sich 2. _____ alle, auch die Führerin und Eva, möglichst schnell zum Ausgang zu gelangen. Nur Specht blieb zunächst wie angewurzelt stehen, doch dann rannte auch er los, aber nicht 3. _____ Ausgang, sondern zurück in Richtung 4. _____.

„Madonna, Madonna!", schrien die Leute, die ihm entgegenkamen und somit eindeutig einer italienischen 5. _____ zuzuordnen waren.

Als er sich bis zum Schlafzimmer vorgekämpft hatte, sah er einen kleinwüchsigen alten Mann am 6. _____ knien, der aufgeregt einer älteren Dame mit seinem Hut Luft zufächerte. Sie war offensichtlich 7. _____ geworden. Als Specht helfen wollte, rappelte sie sich gerade wieder von selbst auf. Mit 8. _____ Augen rief der alte Mann Specht zu: „Madonna, Madonna, der Geist, der Geist!" Hand in Hand und ziemlich verängstigt verließen Mann und Frau den Raum.

„Was zum Teufel ist hier los?", brüllte Specht in den menschenleeren Raum hinein, als er sah, wie die riesige Blutlache direkt vor seinen Augen langsam verschwand. Als Specht sich wieder beruhigt hatte, fing er an, das Zimmer gründlich zu durchsuchen, fand aber nichts Ungewöhnliches. Er betrat die anderen Räume und bemerkte, dass er ganz allein war. Das Schloss schien menschenleer zu sein. Alles war ruhig. Nichts tat sich. Es war so, als ob er träumen würde. Doch er träumte nicht, das wusste er genau. Der am Boden liegende Wandteppich im Wohnzimmer war der Beweis. Doch war das wirklich ein Beweis? Er konnte sich auch einfach aus der Verankerung gelöst haben – also eine ganz normale Begebenheit. In einem so alten Schloss war das sicher nicht verwunderlich. Der Teppich hing bestimmt schon eine Ewigkeit an dieser Wand. Aber der Blutfleck, der rutschende Tisch und die fliegenden Pfannen ... So etwas hatte er noch nicht mit eigenen Augen gesehen, das kannte man höchstens aus Geisterfilmen ... „Was um alles in der Welt geht hier vor?", fragte er sich laut. „Verdammt noch mal, was passiert hier?!" Er ging in Richtung Ausgang und dachte bei sich, dass er jetzt auch noch anfing, Selbstgespräche zu führen. Kein Wunder, hier konnte man aber auch wirklich verrückt werden!

Übung 67: Beantworten Sie die Fragen!

1. Woran nahmen Eva und Paul im Schloss teil?

_____

2. Aus welchen Ländern kamen die anderen Touristen?

_____

3. Was wollte das österreichische Kind haben?

_____

4. Was entdeckten sowohl der Junge als auch die alte Frau?

_____

5. Was hatte die alte Dame vor Schreck fallen lassen?

_____

6. Warum fächelte der ältere Mann der Dame mit seinem Hut Luft zu?

_____

Die beiden Beamten mussten nicht bis 17.30 Uhr warten, bis sie den Schlossverwalter, Herrn Freudenberg, kennenlernen durften. Er meldete sich etwa zehn Minuten nach den Vorfällen im Schloss per Handy bei ihnen. Es dauerte etwa weitere zehn Minuten, bis er vor dem Schloss eintraf. Mittlerweile hatten die Kassen geschlossen und der Vorplatz des Schlosses war nahezu leer. Die Pförtner riegelten den Zugang zum Schloss mit einem Schild ab, auf dem in Deutsch und Englisch stand: VORÜBERGEHEND GESCHLOSSEN, TEMPORARILY CLOSED. Große Schranken wurden aufgestellt, die aus rot-weißen Pfosten bestanden, die durch ein dickes, ebenfalls rot-weißes Seil verbunden waren. Vor dem Haupteingang hatten sich schon einige Schaulustige und Presseleute eingefunden. Selbst Kamerateams waren schon vor Ort.
„Sie müssen der Schlossverwalter sein?", meinte Eva trotz der großen Aufregung sehr ruhig.
„Ja, von Freudenberg, guten Tag!"
„Na, einen guten Tag stelle ich mir anders vor! Specht ist mein Name, Kripo München, und das ..."
„Ist sicherlich Frau Hansen", er gab ihr die Hand und verbeugt sich dabei leicht. „Grüß Gott, gnädige Frau."

„Wie charmant", erwiderte sie. Das hatte schon lange niemand mehr zu ihr gesagt.

Specht verdrehte die Augen.

Übung 68: Finden Sie fünf falsch geschriebene Wörter!

Von Freudenberg hatte dunkelbraune Augen und war ein überaus gut ausehender, sportlicher Typ. „Was für ein Glück, dass Sie beide persönlich vor Ort, ich meine, persönlich anwesend waren!", meinte er aufgeregt. „Sie beide wisen jetzt ... Sie haben leibhaftig erlebt, wie Ludwigs Geist ..."

„Sie wollen mir doch nicht erzählen, dass Sie diesen ofensichtlichen Unsinn glauben?", echauffierte sich Specht. „Sind denn jetzt alle verückt geworden? Ha, dass ich nicht lache – der Geist des Königs! Das kann doch nur eine riesige Show für Touristen gewesen sein."

„Wie bitte?", empörte sich der Schlossverwalter.

„Nun komen Sie schon, Herr von Freudenberg, was ist hier wirklich los?"

„Sagen Sie mal, wie reden Sie denn mit mir? Ich werde mich bei Ihrem Vorgesetzten über Sie beschweren!"

„Herr von Freudenberg", unterbrach Eva, wobei sie das „von" ganz besonders betonte. „Ich bitte höflichst um Entschuldigung. Aber Sie müssen meinen Kollegen verstehen, diese ganze Sache hat uns alle sehr aufgeregt."

„So ein Unsinn! Jetzt bist du auch noch verrückt geworden."

„Darüber sollten wir vielleicht anschließend reden", sagte sie mit einem sehr knapp gehaltenen Seitenblick zu Specht. „Also, Herr von Freudenberg ..."

„Von einer Beschwerde sehe ich selbstverständlich ab, aber hören

Sie, ich bin nun seit eineinhalb Jahren Schlossverwalter und kann Ihnen sagen: So etwas ist noch nie vorgekommen, auch bei meinen Vorgängern nicht! Verstehen Sie, das hier ist kein Touristengag, wie Sie es nennen. So eine Show haben wir überhaupt nicht nötig. Ganz im Gegenteil, so etwas kann sich ruinös auf unsere Verwaltung und natürlich auch auf den Fremdenverkehr auswirken. Ich habe in dieser kurzen Zeit Berge von Stornierungen bekommen. Unser Faxgerät quillt über. Momentan weiß ich wirklich nicht, wo mir der Kopf steht. Außerdem habe ich gelesen, dass bereits früher in anderen Schlössern seltsame Dinge passiert sein sollen. Man hätte Ludwigs Grab geschändet, in Nymphenburg ..."

Übung 69: Ordnen Sie die einzelnen Wörter zu ganzen Sätzen!

1. Typ – er – ein – Augen – und – sportlicher – dunkelbraune – hatte – war

_____

2. gerne – Loch – Eva – gegraben – sich – hätte – ein

_____

3. andere – habe – Frage – noch – ich – doch – eine

_____

4. sehr – trotz – großen – Eva – Aufregung – war – der – ruhig

_____

5. Sekretärin – der – die – weiß – steht – ihr – nicht – Kopf – wo

_____

„Wir kennen die Vorfälle, Herr von Freudenberg."

„Das denke ich mir, Herr Kommissar. Aber was ist mit seinen Handschuhen, seinem Umhang und diesem Stück Hermelin ...?"

„Herr von Freudenberg", äffte Specht Eva nach, indem nun auch er das „von" extrem betonte, und sah sie dabei keck an. „Wir sind doch alle drei erwachsene Menschen. Nun frage ich Sie, und ich gehe davon aus, dass Sie ein intelligenter Mensch sind: Glauben Sie wirklich, dass hier Geister am Werk waren?"

„Was glauben Sie denn, Herr Kommissar?"

„An einen großen Schwindel. Und ich verspreche Ihnen: Ich werde so lange herumschnüffeln, bis ich weiß, was hier los ist."

„Herr Finke!"

„Specht, heiße ich, Specht!"

„Verzeihen Sie, Herr Specht. Aber ich möchte Ihnen noch sagen, dass ich von diesem Schloss und dem diesbezüglichen Fremden- verkehr lebe! Mir ist also sehr daran gelegen, dass wir herausbe- kommen, wie wir den Geist von König Ludwig wieder besänftigen können. Vielleicht will er sich ja auch an uns rächen? Viele sagen ihm nach, dass er verrückt gewesen sei. Außerdem gibt es Leute, die meinen, dass Ludwig ermordet wurde. Wer sagt uns denn, dass sich sein Geist nicht an seinem Mörder oder dessen Familie oder an uns allen ..."

„Jetzt hören Sie aber auf! Ich kann den Unsinn nicht mehr hören. Aber eine Frage habe ich noch: Kennen Sie Eddie? Ich meine Eduard von ..."

Der Schlossverwalter stutzte. „Ja, er war ein guter Freund von mir. Unsere Familien kennen sich schon sehr lange. Außerdem sind wir zusammen in dasselbe Internat gegangen."

„Gut, das war's eigentlich im Moment. Wir werden uns spätestens morgen wieder bei Ihnen melden."

„Tun Sie das!", antwortete er barsch und wandte sich dann Eva zu:

„Hier ist meine Karte."

„Und hier meine, aber die Nummer haben Sie ja bereits", setzte Eva nach.

Freudenberg ging zu den Presseleuten, die schon ihre Mikrofone und Bleistifte zückten. Specht fragte sich, was am nächsten Tag wieder in den Zeitungen stehen würde ...

Übung 70: Unterstreichen Sie in diesem Text neun unterschiedliche Begriffe, die zum Bereich Hotel/Restaurant gehören!

ÜBUNG 70!

Sie fanden eine kleine Pension, in der sie sich für eine Nacht einquartierten.

„Doppel- oder Einzelzimmer?", fragte die robuste Dame im Dirndl.

„Natürlich zwei Einzelzimmer", erwiderte Specht. Dabei vermied er es, Eva anzuschauen.

„Aha!", meinte die Dame. „Zimmer 8 für die Dame und Zimmer 9 für den Herren. Sie müssen sich bitte hier noch in das Gästebuch eintragen." Während Specht schrieb, sprach sie weiter: „Ab 7 Uhr gibt es Frühstück, reguläres Abendessen ab 19.30 Uhr. Aber heute Abend steht unser beliebtes Nachtmahl bei Kerzenschein auf dem Programm. Darf ich einen Tisch für Sie reservieren?"

„N ...", doch Eva kam ihm zuvor.

„Ja, sehr gerne, gleich um 19.30 Uhr, bitte!"

Da es keinen Portier gab und Specht eine gute Erziehung genossen hatte, trug er Evas Koffer und sein kleines Reisetäschchen, wie er seine große Sporttasche verniedlichte, in den ersten Stock. Dabei stöhnte er, doch Eva hatte kein Mitleid. „Das ist die Quittung für deine Ruppigkeit gegenüber diesem netten Schlossverwalter", dachte sie.

Die Zimmer waren – wie zu erwarten war – vollständig mit Holz-
möbeln eingerichtet: Ein heller Bauernschrank, ein Bett mit rot-
weiß-karierter Bettwäsche, ein Nachttisch, auf dem eine Bibel lag
und eine kleine Leselampe stand, ein kleiner Sekretär am Fenster
und ein Stuhl, in dessen Lehne ein Herz ausgestanzt war. Es war
ein kleines, aber putziges Zimmer. Das Beste war: Schob man die
rot-weiß-karierten Vorhänge zur Seite, hatte man einen traumhaf-
ten Blick auf das Schloss und die Alpen.

„Postkarten-Idylle pur", meinte Eva, als sie am Fenster stand.
„Ziemlich kleine Zimmer", moserte Specht und spottete noch:
„Solltest du König Ludwigs Geist vor deinem Fenster schweben
sehen, ruf mich! Und bevor ich es vergesse: Vielleicht braucht der
Geist frisches Blut zum Überleben, also pass auf deinen Hals auf,
vielleicht solltest du dir Knoblauch ..."

Da flog ihm auch schon Evas Kopfkissen entgegen. „Vampire!
Das mit dem Knoblauch waren Vampire. Hier geht es um einen
Geist!"

Specht grinste und legte das Kissen auf das Bett. Mit den Worten
„Mach dich frisch! Wir sehen uns dann zum Essen!" verließ er den
Raum.

Pünktlich um 19.30 Uhr stand Specht vor Evas Zimmer und klopfte. „Geh schon einmal vor, ich komme gleich nach, du kannst mir
ja schon einen Aperitif bestellen!", rief sie duch die geschlossene
Tür.

„Jetzt spinnt sie ganz", murmelte er vor sich hin, als er in den kleinen Speisesaal ging, der über ihren Zimmern lag. Knarrende Holz-
treppen führten ihn hinauf. Specht öffnete die alte, mit gusseiser-
nen Beschlägen versehene Tür und war verblüfft. Er betrat ein mit
Balken durchzogenes, ausgebautes Dachgeschoss, in dem nur
wenige Tische standen.

Übung 71: Was findet man alles auf einem fein gedeckten Esstisch? Unterstreichen Sie!

Lampen, Messer, Gläser, Töpfe, Gabeln, Esslöffel, Kochlöffel, Teigschüssel, Teller, Servietten, Kaffeebecher, Tischdecke, Pfannen, Kerzen

Die Tische waren Ton in Ton mit hellen, bodenlangen Tischtüchern, antikem Porzellan und silbernem Besteck gedeckt. Selbst die auf den Tellern drapierten Servietten waren zu kunstvollen Gebilden gefaltet. Das Licht war gedimmt, sodass die Kerzenleuchter, die auf den Tischen standen, glanzvoll zur Geltung kamen. „Meine Güte!", dachte sich Specht. „Aber schließlich heißt es ja auch ‚Nachtmahl bei Kerzenschein'."

„Guten Abend, kann ich Ihnen helfen?" Eine freundliche weibliche Bedienung kam ihm entgegen.

„Guten Abend, wir haben einen Tisch auf den Namen ‚Specht' reserviert."

„Wenn Sie bitte mitkommen möchten." Er setzte sich auf den ihm zugewiesenen Platz.

Übung 72: Suchen Sie das schwarze Schaf!

1. Schokolade – Bonbon – Gurke – Kuchen
2. Kaffee – Cappuccino – Espresso – Tee
3. Cola – Fanta – Mineralwasser – Sprite
4. Orange – Apfel – Birne – Joghurt
5. Wodka – Likör – Gin – Tequila
6. Wein – Champagner – Sekt – Bier
7. Spaghetti – Schweinebraten – Pizza – Lasagne

In der Zwischenzeit holte die Bedienung die Getränkekarte.

„Ich glaube es einfach nicht!", flüsterte er leise vor sich hin. „Ich und meine Assistentin bei Kerzenlicht!"

„Die Getränkekarte, Herr Specht. Darf ich Ihnen schon einen Aperitif bringen?"

„Ja, ein Weißbier!" Sie schmunzelte. „Und für meine Begleitung ein ... was können Sie mir denn empfehlen?"

„Unser Hausaperitif ist heute ein Glas Champagner mit Holunderblütensaft. Schmeckt wirklich außerordentlich lecker, wenn ich das sagen darf."

„Dann bringen Sie das einmal", meinte er und setze schnell nach: „Ich hätte aber gerne das Weißbier."

„Habe schon verstanden!"

Es dauerte nicht lange, da standen die Getränke auch schon auf dem Tisch. Aber es dauerte noch ein ganze Weile, bis Eva endlich den Raum betrat. Sie trug eine dunkelblaue Hüfthose und eine mit türkisfarbenen Perlen bestickte Leinenbluse. Das „Klack-Klack-Klack" führte Specht auf Stöckelschuhe zurück. „Entschuldige, Paul, ich bin ein paar Minuten zu spät, aber ich war mir nicht ganz sicher, was man hier abends so trägt."

„Perfekt!", erwiderte er, während er ihr den Stuhl zurechtrückte. „Einfach perfekt! Du bist überaus passend gekleidet, wie ich finde."

„Danke schön! Ist hier alles geschmackvoll gestaltet!", schwärmte sie. Beim Anstoßen schaute Eva Specht tief in die Augen, was ihn ein bisschen verwirrte, wie eindeutig zu erkennen war.

Übung 73: Unterstreichen Sie fünf falsch geschriebene Wörter!

Die beiden speisten vorzüglich und ihr Gesprächstoff riss nicht ab. Als sie bei ihrem Dessert Bayerische Creme angelangt waren, erzählte Specht gerade von seiner Kintheit und von den Streichen, die er vorwiegend den Mädchen in der Nachbarschafft gespielt hatte. Seine Lieblingsbeschäftigung aber war gewesen, sie mit Gruselgeschichten zu schockieren. Es schien so, als ob Specht einen Schalter in seinem Kopf hatte, den er auf priwat oder dienstlich umschalten konnte. In diesem Moment sprang er auf dienstlich.

„Apropos Geistergeschichten, was hältst du davon, wenn wir noch einmal kurz zum Schloß hochgehen?"

„Jetzt? Willst du mich etwa erschrecken, so wie deine kleinen Mädchen früher?!"

*Übung 74: **Wie** oder **als**? Bitte setzen Sie ein!*

1. Eva war anderer Meinung _____ Paul.

2. Sie gruselte sich im nächtlichen Schloss genauso _____ Paul.

3. Hatte Paul gegenüber Frauen so viele Vorurteile _____ alle

   Männer oder hatte er mehr Vorurteile _____ andere?

4. Paul war früher am Tisch _____ Eva.

5. Der Abend endete anders _____ erhofft.

„Ich dachte eigentlich eher daran, an unserem Fall zu arbeiten. Also los, lass uns gehen ..."

„Das hört sich ja wie eine dienstliche Anweisung an!?"

„Wenn du so willst, ja! Aber zieh dir vorher noch etwas anderes an, es ist kühl draußen. Und vor allem, zieh dir andere Schuhe an!"

„Nein danke, ich möchte keinen Espresso mehr. Wir können in fünf Minuten los!"

„Espresso? Ich habe doch gar nicht ...!" Sie war schon aufgestanden und er wusste, dass er wieder einmal etwas falsch gemacht hatte.

Auf dem Weg zum Schloss versuchte Specht besonders nett zu Eva zu sein. „Also, wenn du jetzt keine Lust mehr hast ... du kannst auch zurückgehen."

„Das ist doch wirklich die Höhe! Du würdest mich jetzt wieder allein zurückschicken?"

Da war er auch schon in das nächste Fettnäpfchen getreten. Er blieb jetzt lieber stumm, bevor er wieder etwas Falsches sagte.

Als sie schon eine Weile gegangen waren, war es Eva, die zuerst etwas sagte: „Paul, hast du schon mit Huber gesprochen?"

„Ich habe ihn angerufen, aber weiter als ‚Grüß Gott, Herr Huber, Specht hier', bin ich nicht gekommen. Er war gerade auf einer Privatfeier und kurz davor, eine Rede zu halten. Er ließ mich wissen, dass ich auch einmal versuchen solle, ohne ihn klarzukommen."

„Wie bitte? Und das von Huber, der sich ständig einmischt?"

„Umso besser: freie Hand für mich ... für uns!"

ÜBUNG 75

Übung 75: Trennen Sie die Wörter in Silben!

(aufgestellt – auf-ge-stellt)

1. einmischen   _____

2. zusätzlich   _____

3. neutralisieren   _____

4. eigentlich   _____

5. merkwürdig _____

6. Geisterjäger _____

7. Haupteingang _____

8. Presseleute _____

Vor der Schranke am Schloss standen immer noch etliche Presseleute, die offensichtlich zusätzliche Scheinwerfer aufgestellt hatten. Ein Mann, den Eva aus dem Fernsehen kannte, interviewte gerade eine ältere Dame mit wallendem Gewand und langer lockiger Mähne. „Das ist doch der bekannte ... Wie heißt der noch gleich? Hat der nicht auch eine Sendung?", fragte Eva. „Lass uns kurz zu den beiden hingehen, vielleicht erfahren wir ja etwas, das wir noch nicht wissen."

Obwohl Specht das ziemlich überflüssig fand, tat er ihr den Gefallen.

„Frau Dr. Brunnenberger, Sie möchten damit sagen, dass Sie und Ihr Team den Geist einfangen können?" Der Interviewer hielt ihr das Mikrofon hin.

„Neutralisieren, nicht einfangen! Das ist ein großer Unterschied. Wir Geisterjäger sind der Meinung, dass ..."

Specht drehte sich abrupt um und ging zum Haupteingang des Schlosses. Eva blieb nichts anderes übrig, als ihm zu folgen.

Übung 76: Setzen Sie die Präpositionen ein (in, von, über, in, zum, im, aus, unter, in)!

Sie krochen 1. _____ der Schranke durch und waren keine fünf Schritte gegangen, als sie 2. _____ einem Sicherheitsbeamten aufgehalten wurden: „Stopp! Können Sie nicht lesen?"

„Ganz ruhig!" Specht griff 3. _____ seine Wildlederjacke und zog seinen Ausweis heraus. „Und das ist meine Kollegin, Frau Hansen."

„Bitte entschuldigen Sie, Herr Kommissar, ich wusste ja nicht ..."

„Schon gut!" Die beiden gingen weiter 4. _____ Richtung Schloss. Mittlerweile war starker Nebel aufgezogen, der die Landschaft und das Schloss umhüllte, sodass ein geheimnisvolles, gespenstisches und fast unwirkliches Traumbild entstand. Das Scheinwerferlicht verstärkte diesen Effekt noch. Specht durchbrach die Stille, indem er die Nase hochzog und Eva um ein Taschentuch bat.

„Ja, klar!" Sie nahm ein Tuch 5. _____ der Packung und gab es ihm. Dabei berührte er ihre Hand. Eva lief ein angenehmer Schauer 6. _____ den Rücken.

„Du hast ja ganz kalte Hände, du wirst dich noch erkälten! Gib mal her, ich wärm' sie dir." Er nahm ihre Hände und hielt sie 7. _____ seinen. „Klopf, klopf, klopf ... Eva, hörst du das?"

„Ich höre nichts!"

Er ließ ihre Hände los und drehte sich um. „Komm mit! Es hört sich so an, als ob jemand 8. _____ Schloss arbeiten würde. Hörst du, da ist es wieder, dieses Klopfen und Scharren!"

„Ja, jetzt höre ich es auch! Es muss im Schlosshof sein!"

Specht lief 9. _____ Eingang, doch die Tür war versperrt. Er rief:
„Wer ist da? Öffnen Sie die Tür! Kripo München!" Auf einmal
herrschte absolute Stille. Nichts regte sich mehr.

Plötzlich erscholl ein lautes Schreien, das sich so anhörte, als ob
jemand mit dem Tode ringen würde. Es wurde immer lauter und
lauter – dann dröhnte eine Stimme, die fast mechanisch klang:
„Mein Schloss!" Es knallte noch einmal so heftig, dass Eva und
Specht zusammenzuckten. Dann war Rauch zu sehen, der aus dem
Schlosshof aufzusteigen schien, oder waren es Nebelschwaden?
Der Rauch färbte sich dunkelrot und – es war unvorstellbar – nahm
eine Form an. Ein großes Gesicht bildete sich heraus, ein männli-
ches Gesicht, das Gesicht von König Ludwig! Es formte die Lippen und blies geradezu seine Worte heraus: „Mein Schloss!" So
schnell dieses Phänomen aufgetaucht war, so schnell verschwand
es auch wieder. Wenn es nicht so dunkel gewesen wäre, hätte Eva
bemerkt, dass auch Specht ziemlich blass geworden war. Es dauerte einige Zeit, bis Paul sein Telefon aus der Tasche zog und eine
Nummer wählte. Eva war ganz flau im Bauch, sie ging ein paar
Schritte zurück und lehnte sich an die Mauer. Ab diesem Zeitpunkt
war eine fürchterlich laute Geräuschkulisse zu hören. Menschen
schrien vor Entsetzen und Lautsprecher ertönten: „Bleiben Sie hinter der Absperrung!" Doch es half alles nichts. Die Presseleute
waren in Aufruhr, überrannten die Sperren und stürmten den Berg
zum Schloss hoch. Specht war gerade mit seinem Gespräch fertig,
als Eva ihm aufgelöst entgegenkam. „Was ist denn da los?", fragte er aufgeregt. „Ich habe gerade mit ..." Weiter kam er nicht, da
blitzte es von allen Seiten ...

Übung 77: Beantworten Sie die Fragen!

1. Welches Getränk bestellte Paul sich zum Abendessen?

_____

2. Wohin gingen Eva und Paul nach dem Essen?

_____

3. Waren auch andere Leute beim Schloss?

_____

4. Was gab Eva Paul?

_____

5. Womit war Specht gerade fertig, als Eva ihm entgegenkam?

_____

„Paul, bist du wach?" Eva klopfte an Spechts Tür.

„Ja! Schon lange, komm rein!"

„Hast du die Zeitung gesehen?"

„Ja, du machst dich sehr gut auf den Fotos, nächstes Mal möchte ich dich auf einem Modemagazin sehen."

„Mir ist nicht zum Lachen zumute. Hast du gelesen, wie die sich über uns lustig machen? Hier, du mit Handy in der Hand: *Kommissar spricht mit dem leibhaftigen Geist von König Ludwig.*"

„Ja, ja, ja, ich habe den Unsinn schon gelesen ... Dafür habe ich heute Morgen schon mit dem leibhaftigen Huber gesprochen. Er hatte noch viel geistreichere Worte, glaub mir."

„Wie siehst du eigentlich aus? Deine Schuhe sind ja total schmutzig."

„Weil ich heute schon ganz frühmorgens, nämlich um fünf Uhr, oben am Schloss war. Und ich war nicht allein da, weil mir der

Herr Schlossverwalter Gesellschaft geleistet hat. Eva, ich sage dir, da ist etwas faul. Ich weiß nur noch nicht genau, was. Aber das bekomme ich schon noch heraus. So, und nun gehen wir frühstücken und dann werden wir gemeinsam Herrn Freudenberg einen Besuch abstatten."

„Ich dachte, du hattest heute schon das Vergnügen?"

„Irgendetwas ist an ihm dran, das mich stutzig macht!"

„Oh, ich finde, dass da einiges an ihm dran ist ..."

„Was sollte an so einem Schleimer Positives dran sein, was ein Mann wie ich nicht hat? Stopp! Ich weiß es!"

„Ach ja, und was bitte?"

Übung 78: Was ist das Gegenteil?

1. frühmorgens _____

2. Himmel _____

3. stinken _____

4. anfangen _____

5. wissen _____

6. gemeinsam _____

7. süß _____

! ÜBUNG 78

„Er fährt auch einen Porsche, weißt du, so wie der Typ, der dich ab und zu abends vom Präsidium abholt." Er biss sich auf die Lippen.

„Paul, du bist ein guter Beobachter." Mehr sagte sie nicht, denn er musste ja nicht unbedingt wissen, dass der Porschefahrer, der sie manchmal abholte, ihr Schwager war.

„Ich bin Schnüffler, schon vergessen?"

„Ja, und ich auch! Herr Specht, kannst du mir einmal sagen, was der Müll da soll?" Am Boden neben dem Bett lag ein ganzer Haufen von Bonbonpapieren und auf dem Beistelltisch standen zwei leere Packungen Kekse. „Halt, sag jetzt nichts, ich weiß es. Du steckst wieder einmal mit Haut und Haaren in deiner Arbeit und da brauchst du Süßigkeiten, um besser nachdenken zu können."

„Nervennahrung, richtig, und Frühstück! Also komm, lass uns gehen!"

Übung 79: Sind die Behauptungen richtig (+) oder falsch (-)?

1. Paul hat die Zeitung gelesen. ( )
2. Er hat noch nicht mit Huber gesprochen. ( )
3. Er war um fünf Uhr allein im Schloss. ( )
4. Der Porschefahrer in München war Evas Verlobter. ( )
5. Paul aß Süßigkeiten, weil sie ihn glücklich machten. ( )
6. Paul aß ein Ei zum Frühstück. ( )

Eva folgte ihm und verkniff sich den Spruch: Süßigkeiten machen zwar glücklich, aber wenn man zu viel davon nascht, können sie auch verdammt unglücklich machen. Denn das brachte ihn über Umwege vielleicht zum Thema Fitness, Fitnessstudio, Aerobic bis hin zu Kim. Vor allem jetzt, wo sie doch zusammen in einem so kuscheligen ...

„Hallo, Eva, schläfst du?"

„Nein, ich träume!", und das war nicht einmal gelogen.

„Ich habe dir noch etwas verheimlicht! In den Rahmen des Autokennzeichens von Freudenberg ist ein Name eingedruckt: Autosalon Moosgruber. Seltsam, oder?"

„Seltsam finde ich eher, wie die uns hier alle anschauen." Es waren noch vier andere Tische besetzt und auf allen lagen Zeitungen. „Oh, wie peinlich!"

„Da musst du drüberstehen! Mittlerweile belustigt es mich mehr, als dass es mich ärgern könnte. Wir wollen doch die Journalisten nicht arbeitslos machen", dabei klopfte er genüsslich auf seinem Fünf-Minuten-Ei herum.

„Na, dann guten Appetit, mir ist er jedenfalls vergangen!"

Übung 80: Ordnen Sie die Buchstaben zu Wörtern!

1. solbarstei   _____

2. eimsatkein   _____

3. dennspan   _____

4. dennpfiem   _____

5. lichtgenei   _____

6. güssilchen   _____

Nach etwa einer halben Stunde waren die beiden startklar. Doch vor dem Besuch bei Freudenberg wollte Specht noch einmal kurz am Schloss vorbeischauen.

„Eigentlich sollte man auf die Berge steigen", meinte Specht, als sie im Auto saßen, „um König Ludwigs Seele etwas näherzukommen – zu seinen Jäger- und Almhütten. Er liebte die Einsamkeit. Da oben in den Bergen fand er seinen Frieden."

„Du verträgst die vielen Süßigkeiten nicht, die steigen dir zu Kopf. Außerdem reicht es mir jetzt langsam, ihr Bayern mit eurem

König, seiner Seele oder seinem Geist! Wenn ich diese Geschichte meinen Freundinnen in Hamburg erzähle, halten die mich doch für komplett verrückt. Also, Paul, ich möchte diesem Geist nicht noch näherkommen!"

Specht lachte. „Also gut, ich möchte dir aber trotzdem noch etwas zeigen!"

! ÜBUNG 81

Übung 81: Was kann man nicht schreiben? Unterstreichen Sie!

die Geschichte, das Buch, der Stift, die Erzählung, das Heft, der Roman, das Bild, die Novelle, die Kurzgeschichte, der Antrag, der Aufsatz, das Erlebnis, der Text, der Brief, das Testament, der Stadtplan

„Du machst es aber spannend!" Auf den letzten Metern zum Schloss verlor sich Eva in Gedanken: „Hoffentlich will er mir keine neue Blutlache zeigen. Und hoffentlich wird sich nicht plötzlich der Boden auftun und uns verschlingen, wenn wir dieses Mal das Schloss betreten. Aber vielleicht werden auch die Figuren in den Gemälden lebendig; toll, wenn die Jäger anstatt auf das Wild auf uns zielen ... Vielleicht hat der Geist auch Lust, mit Messern zu werfen. Letztes Mal wollte er mich ja auch mit einer Pfanne erschlagen. Eva, nun reiß dich zusammen, werde bloß nicht hysterisch! Du bist eine erwachsene Frau. Es gibt keine Geister, und das, was du gestern gesehen hast, ist gar nicht passiert ..."

„So, bitte aussteigen! Jetzt steht nur noch ein kleiner Fußmarsch an. Und wie ich sehe, hast du sogar ganz passables Schuhwerk dazu an."

„Paul, erzähl bitte weiter, erzähl irgendetwas!"

„Du bist ja gar nicht beleidigt wegen meiner Stichelei!" Irritiert sah er sie an. „Hast du etwa Angst?"

„Ich? Nein, wie kommst du denn darauf!?"

„Zumindest gehen wir jetzt gerade zu einem der schönsten Orte dieser Gegend. Weißt du, der Vater von Ludwig II., also Maximilian II., ließ in der Umgebung von Hohenschwangau Wege und Aussichtspunkte anlegen, um die Landschaft besser genießen zu können. Und als Geburtstagsgeschenk für seine bergsteigende Gemahlin Marie ließ er in den 1850er-Jahren die eisernen Marienbrücken hoch über der Pöllatschlucht errichten."

Übung 82: Ergänzen Sie die Sätze mit dem der Person entsprechenden Pronomen, das in Klammern steht!

1. Die tiefe Schlucht machte _____ Angst. (ich)

2. Der Geist wollte mit einem Messer auf _____ werfen. (Eva)

3. Paul war eifersüchtig auf _____ . (Porschefahrer)

4. Es tat _____ leid. (Paul)

5. Der Wachmann wollte _____ nicht durchlassen. (Eva und Paul)

6. Sie können sich immer auf _____ verlassen. (ich)

7. Paul wollte _____ die Brücke zeigen. (Eva)

8. Die Sekretärin bot _____ Kuchen an. (Eva und Paul)

„Wunderschön, Paul! Ich bin begeistert! Aber ich muss doch jetzt nicht wirklich auf diese Brücke gehen!? Weißt du, dieser reißende Gebirgsbach und dann noch diese unheimlich tiefe Schlucht ... Das macht mir, ganz ehrlich gesagt, weiche Knie und ich glaube, dass sich mein Magen ..."

„Alles klar! Eva, geh bloß nicht auf die Brücke! Bleib, wo du bist, wir gehen zurück, okay?"

Als sie wieder beim Schloss ankamen, sahen sie, dass es auch heute keine Führungen gab und immer noch Sperren aufgebaut waren. Ein von der Stadt beauftragter Wachdienst passte zudem auf, dass sich keiner dem Schloss näherte. Specht zückte seinen Ausweis und hielt ihn einem der bulligen Aufpasser unter die Nase.

„Tut mir leid, Herr Specht. Nur mit besonderer Genehmigung des Schlossverwalters."

„Wie bitte? Sie können wohl nicht lesen, ich bin von der Kripo!"

„Doch, sonst hätte ich ja auch Ihren Namen nicht gewusst."

„Dann ist ja alles klar!"

! ÜBUNG 83

Übung 83: Suchen Sie den richtigen Artikel und kreuzen Sie den Buchstaben an! Sie finden ein Lösungswort.

	der	die	das
1. Schlösserverwaltung	A	K	F
2. Zettel	R	M	E
3. Verwaltung	G	I	L
4. Walky-Talky	U	T	P
5. Hausdurchsuchungsbefehl	O	V	N

Lösungswort: _____

„Glasklar. Wenn ich Sie durchlasse, verliere ich nämlich meinen Job. Herr von Freudenberg hat das so angewiesen. Es sei denn, Sie haben eine Genehmigung oder ..." Er holte einen mit der Schreibmaschine geschriebenen Zettel aus der Tasche und las ihn ab: „einen Hausdurchsuchungsbefehl".

Eva grinste.

„Erstens ist das hier ein Schloss, zweitens bin ich von der Kripo und drittens werde ich dafür sorgen, dass Sie nie wieder einen Job bekommen werden!"

Der Aufpasser starrte ihn erschrocken an. Specht starrte zurück und zog seine Augenbrauen in einer Art und Weise in die Höhe, die dem armen Mann klarmachte, dass Specht nicht einen Millimeter von seinem Standpunkt weichen würde.

„Okay", antwortete er leise und schaute sich dabei um. „Aber nur, wenn Sie mir versprechen, dass Sie gleich wieder vergessen werden, wer Ihnen geholfen hat ..."

„Klar, Sie können sich auf mich verlassen."

„Dann gehen Sie doch bitte auf die andere Seite des Schlosses. Durch die Hintertür kommen Sie unauffälliger in den Hof. Da stehen drei meiner Kumpel und schieben Wache. Die werde ich gleich per Walky-Talky verständigen."

Problemlos kamen sie durch die Kontrolle und standen vor dem Schloss.

„Eva, hörst du das?"

„Ja, da ist schon wieder so ein Klopfen und Poltern!" Angsterfüllt sah sie ihn an. „Oh, mein Gott, das wird doch jetzt nicht schon am helllichten Tag losgehen?"

„Was machen die da drinnen bloß?" Specht sah sich um. Doch er sah keine Chance, in das Schloss hineinzukommen. Die Tür war abgeschlossen und einen anderen Weg gab es nicht. Er schaute Eva an und sah, dass sie einen erschöpften Eindruck machte. Also gaben sie auf und gingen zurück zum Auto, um in die Innenstadt von Füssen zu fahren, denn dort war die Schlossverwaltung untergebracht.

! *Übung 84: Suchen Sie fünf nicht dazupassende Sätze!*

„Nicht schon wieder!", protestierte Eva, als Specht ihr erzählte, dass die Verwaltung von Schloss Neuschwanstein ebenfalls in einem Schloss, nämlich dem Schloss der Stadt Füssen, untergebracht war. „Gibt's denn hier nur Schlösser?" Sie hatte die Nase von Fitnessstudios wirklich voll.

„Es gibt noch eine ganze Menge anderer Dinge. Füssen ist die östlichste Stadt des Allgäus. Wir fahren deshalb in die Türkei. In der Stadt gibt es, wie schon gesagt, ein Schloss und viele altehrwürdige Kirchen, unter denen die Stiftskirche St. Mang wohl die bekannteste ist. Paul zog sich die Schuhe aus. Und hier ist immer etwas los: Im Sommer kommen Wanderer, Bergsteiger und Naturliebhaber, im Winter die Wintersportler. Wenn du willst, nehme ich dich einmal zum Skifahren mit."

„Specht, ich komme aus Norddeutschland und habe mit Skifahren leider nicht viel am Hut. Auch Mützen trage ich nie. Aber wir können gerne im Sommer zum Schwimmen herkommen. Es gibt doch bestimmt auch schöne Badeseen hier. Und schwimmen kannst du doch?"

„Ich habe förmlich Schwimmhäute zwischen meinen Fingern und Zehen! Klar kann ich schwimmen."

Nachdem Sie in Richtung des Stadtzentrums abgebogen waren, meinte Eva: „Das ist also das Schloss von Füssen, hmmm? Gab es hier auch schon irgendwelche Spukgeschichten? Vielleicht sollte ich lieber im Auto bleiben ...! Ich esse nicht gerne Kuchen."

„Geister machen auch vor Autos nicht Halt. Also komm lieber mit, Angsthase!"

An einer im Foyer angebrachten goldenen Tafel fanden sie die *Schlossverwaltung Neuschwanstein und Hohenschwangau.* Der

Name war in geschwungener schwarzer Schreibschrift aufgedruckt. Außerdem war zu lesen, dass sich das Büro in der zweiten Etage befand. Über eine breite knarrende Holztreppe gingen sie nach oben.

„Da ist es!" Eva klopfte an.

„Bitte!", erwiderte eine weibliche Stimme. Sie öffneten die Tür und betraten ein riesiges Zimmer. „Wie kann ich Ihnen helfen?" Die Dame im Vorzimmer hatte Ähnlichkeit mit Waltraud Waldbauer, Hubers Sekretärin, fand Specht.

„Wir würden gerne Herrn von Freudenberg sprechen."

„Herr von Freudenberg ist leider nicht zugegen", dabei schaute sie Specht prüfend an. „Haben Sie denn einen Termin bei ihm?"

„Nein, haben wir nicht. Das ist auch nicht nötig!"

„Ach, das wäre ja etwas ganz Neues. So einfach geht das natürlich nicht. Sie können aber gerne einen Termin vereinbaren. Sagen wir am ...", dabei blätterte sie in ihrem Terminkalender, „nächsten Dienstag, 10 Uhr?"

„Liebe Frau, wir möchten ihn heute und jetzt sprechen."

„Also, nun werden Sie einmal nicht ungeduldig. Ich sagte Ihnen doch, dass ..."

„Darf ich die Sache etwas verkürzen?" Eva winkte lässig mit ihrem Ausweis. „Und das ist mein Kollege Specht." Paul schmunzelte.

Übung 85: Finden und unterstreichen Sie versteckte Wörter!

1. Ein Ort, wo Fürsten und Könige wohnen – im Wort *abgeschlossen*
2. Etwas, das Licht und Wärme ausstrahlt – im Wort *versonnen*
3. Die Mutter Ihrer Mutter – im Wort *Tomatensalat*

4. Etwas, das man bekommt, wenn jemand stirbt – im Wort *Geisterbeschwörer*
5. Die meisten Menschen werden es – im Wort *Verwaltungsleiter*
6. Ein Artikel im Akkusativ – im Wort *Fremdenverkehr*

„Oh, mein Gott, die Kriminalpolizei! Dann kommen Sie bestimmt wegen des Geistes. Ich wusste gar nicht, dass dafür auch die Kriminalpolizei zuständig ist! Stellen Sie sich vor, ich musste mein Telefon umstellen, weil ich nicht mehr in Ruhe arbeiten konnte. Wer hier alles angerufen hat: Geisterbeschwörer, Geisterjäger und sogar jemand, der glaubte, dass der Geist König Ludwigs in ihn gefahren wäre! Ich komme mir vor wie in einem Irrenhaus. Bitte entschuldigen Sie, aber ich bin ein wenig gereizt. Nehmen Sie doch bitte hier Platz. Was darf ich Ihnen anbieten?"

„Sagen Sie uns doch bitte zuvor noch, wann Sie Herrn von Freudenberg zurückerwarten."

„Die Herren, also der Verwaltungsleiter, der Bürgermeister und der Landrat ..."

„Wann?", fragte Specht streng.

„Die Herren sitzen schon seit 9 Uhr zusammen, jetzt ist es 11 Uhr, also müssten sie eigentlich ..."

ÜBUNG 86

*Übung 86: Setzen Sie die Wörter ein (**Sekretärin, Kuchen, erfahrene, Verlegenheit, aufhören, Wasser, Vorgänger, bewirtete, Aushilfe, gebackenen**)!*

„Okay!" Eva nickte Specht zu. „Wir warten, und wenn es Ihnen nichts ausmacht, hätte ich gerne ein Glas 1. _____.

„Möchte Sie Kaffee dazu oder vielleicht ein Stück Kuchen?"

„Nein danke."

„Aber ich, welchen 2. _____ gibt es denn?"

Eva riss die Augen auf und stieß ihn mit ihrem Ellenbogen in die Seite.

„Also, ich habe Apfel- und Kirschkuchen zur Auswahl. Ich dachte, heute, wo der Bürgermeister ... Aber keiner von den Herren hat unser Zimmer betreten und jetzt sitze ich auf meinen selbst 3. _____ Kuchen."

„Na, dann probiere ich doch einmal beide!"

„Ja, gerne!

„Übrigens, tolles Kostüm, das Sie da anhaben!"

„Paul!" Eva rollte mit den Augen.

„Oh, vielen Dank!" Sie 4. _____ die beiden mit Übereifer.

„Hmmm, hervorragend! So einen leckeren Kuchen habe ich noch nie gegessen. Wenn ich das in München erzähle!"

„Herr Kommissar, nun bringen Sie mich aber in 5. _____."

„Setzen Sie sich doch ein wenig zu uns. Ich hätte da noch ein paar Fragen an Sie."

„An mich? Aber ich bin hier nur eine kleine 6. _____, genauer gesagt Zweitsekretärin zur 7. _____. Wissen Sie, Herr von Freudenberg hätte mich ja nie als seine erste Sekretärin übernommen. Das war ich nämlich bei seinem 8._____, Herrn Hauser, ein herzensguter, zuvorkommender und liebenswürdiger Mensch. Leider ist er vor mir in den Ruhestand gegangen. Mir fehlt nur noch ein Jahr, dann kann ich auch 9._____. Ich mag auch nicht mehr. Wissen Sie, die erste Sekretärin ist um die 20 Jahre jünger, schlank, schön, so ein Typ wie in diesen Modemagazinen."

„Manche Leute wissen es einfach nicht zu schätzen, eine 10._____ Kraft an ihrer Seite zu haben!"

„Ach, wem sagen Sie das, Herr Kommissar!"

„Worum geht es da heute eigentlich in dieser Besprechung?"
„Also, ich durfte ja nur die Tagesordnung abtippen. Aber es ist so, dass sich Herr von Freudenberg etwas querstellt. Klar, er ist nun einmal der Schlossverwalter, denkt aber nur an sein Schloss und nicht an das Ganze. Verstehen Sie? Der komplette Fremdenverkehr kommt zum Erliegen. Wir haben jetzt schon enorme Einbußen. Etliche Touristikunternehmen haben ihre Reisen storniert."
„Und inwiefern stellt sich Herr von Freudenberg quer?"
„Ich weiß gar nicht, ob ich Ihnen das alles erzählen darf ... Möchten Sie vielleicht noch ein Stück Kuchen?"
„Gerne!"
Während sie ihm das neue Stück Kuchen brachte, schaute sie Specht und Eva prüfend an: „Mein Gedächtnis lässt zwar nach, aber ich wusste doch, dass ich Sie beide schon einmal gesehen habe. Sie waren doch in der Zeitung abgebildet!"
Eva zog es vor, sich nicht zu äußern, und Specht war froh, mit seinem Kuchen beschäftigt zu sein.

Übung 87: Ergänzen Sie die passende Konjunktion!

1. Paul brauchte Nervennahrung, _____ aß er so viel Kuchen.

2. Eva wunderte sich über seinen Konsum, hielt aber _____ den Mund.

3. Die Sekretärin wusste gut Bescheid, _____ sie nur die Aushilfe war.

4. Sie redete mit Eva und Paul, _____ sie von der Kripo waren.

5. Sie glaubte, _____ die Herren bald fertig wären.

6. Eva wollte kein Stück Kuchen, _____ ein Glas Wasser.

„Also, Herr Kommissar, ich sage Ihnen, wie es ist: Herr von Freudenberg glaubt wirklich an den Geist!"

„Wie bitte, er macht doch so einen weltoffenen Eindruck?"

„Ja, irgendwie passt es auch nicht zu ihm. Aber wer kann schon in einen Menschen hineinsehen? Sein Plan sieht vor, das Schloss erst wieder in vier Wochen für die Öffentlichkeit zugänglich zu machen. In der Zwischenzeit, so meint er, könnte sich der Geist wieder beruhigt haben. Außerdem sagt er, dass das Ganze auch insofern von Vorteil wäre, da dann endlich dringende Reparaturarbeiten in aller Ruhe durchgeführt werden könnten. Noch einen Kaffee?"

„Gerne, und vielleicht noch ein klitzekleines Stückchen ..."

„Sein Argument ist, dass viele Reiseagenturen sowieso schon storniert hätten ... Ja, und nun kämpft er dafür, dass das Schloss erst einmal geschlossen bleibt. Aber wenn Sie mich fragen, wird er in dieser Runde einen schweren Stand haben."

„Noch eine letzte Frage: In welchen wirtschaftlichen Verhältnissen lebt Ihr Chef eigentlich?"

„Wieso, hat er etwas verbrochen?"

„Nein, nein! Wissen Sie, es hätte mich nur persönlich interessiert."

„Ach so, ja, schwer zu sagen. Aber so viel verdient er nun auch wieder nicht. Mehr als ich natürlich, aber ganz genau kann ich Ihnen das nicht sagen."

Übung 88: Setzen Sie den Artikel ein!

1. _____ Jahr   2. _____ Monat

3. _____ Tag   4. _____ Stunde

5. _____ Minute   6. _____ Sekunde

7. _____ Halbjahr   8. _____ Quartal

„Und hat er eine Freundin?", unterbrach Eva sie.

„Das kann ich Ihnen nun wirklich nicht sagen! Über sein Privatleben sprechen wir nie."

Die Tür ging auf und Freudenberg betrat das Zimmer. Er wirkte sehr angespannt. Außerdem war er nicht gerade erfreut, als er Specht und Eva erblickte.

„Was machen Sie denn hier?"

„Oh, das klingt aber nicht gerade höflich!", antwortete Eva enttäuscht.

„Bitte entschuldigen Sie, Frau Hansen! Ich hatte eine sehr anstrengende Sitzung."

„Wie ging sie denn aus?", fragte Specht scheinheilig.

„Wieso?"

„Herr von Freudenberg, eigentlich stellen wir hier die Fragen."

„Frau Waxlhuber, haben Sie mir eigentlich schon die Akten herausgesucht?"

„Nein, Herr von Freudenberg, ich hatte noch keine Zeit."

„Dann tun Sie es!"

Beleidigt drehte sie ihm den Rücken zu und verließ das Büro.

„Das war aber nicht gerade nett", warf Eva ein.

„Frau Hansen, Sie müssen das verstehen. Ich kann nicht auf jeden Rücksicht nehmen. Und diese Dame hat auch ihre Eigenheiten ... Wahrscheinlich wurden Sie durch Frau Waxlhuber bereits über alle Details aufgeklärt, die heute in der Sitzung besprochen werden sollten."

„Nein! Nur darüber, dass es darum ging, wann das Schloss der Öffentlichkeit wieder zugängig gemacht werden sollte", antwortete Eva spontan.

„Machen wir es kurz. Es wird am Montag wieder geöffnet. War's das? Ich habe jetzt wirklich viel zu tun!"

„Das war's für heute", antwortete Specht. „Aber wir werden uns sicher wiedersehen!"

„Herr von Freudenberg, noch einen schönen Tag!", lächelte Eva, als sie ihm die Hand reichte.

Auf dem Flur trafen sie noch einmal auf die mütterliche Zweitsekretärin, die einen riesigen Stapel Akten unter dem Arm trug.

„Frau Waxlhuber, ist das nicht zu schwer für Sie?"

„Specht, du Schleimer!", flüsterte Eva.

„Wie reizend! Das ist aber gar nicht so schwer, wie es aussieht!"

„Schön, dass wir Sie doch noch kurz treffen. Herzlichen Dank für den Kuchen, und lassen Sie sich hier mal nicht unterkriegen!" Sie strahlte. „Und hier ist meine Karte. Sollte Ihnen noch irgendetwas einfallen, dann rufen Sie mich an."

„Das werde ich machen!", sagte sie stolz.

Übung 89: Sind die Behauptungen richtig (+) oder falsch (-)?

1. Die Sekretärin war nur zur Aushilfe angestellt. ( )

2. Sie war jung, schlank und schön, so ein Typ wie in den Modemagazinen. ( )

3. Sie hatte Kirsch- und Schokoladenkuchen gebacken. ( )

4. Herr von Freudenberg war in einer Krisenbesprechung. ( )

5. Er wollte das Schloss erst in vier Wochen wieder öffnen. ( )

6. Die Sitzung war anstrengend und er war gereizt. ( )

7. Die Sekretärin bat Paul um seine Karte. ( )

Eva wollte gerade ins Auto steigen, als Specht ihr zurief: „Verdammt! Ich Idiot! Eva, ich bin gleich wieder da." Bevor sie noch
fragen konnte, wohin er lief, war er auch schon weg.

Es dauerte zehn Minuten, bis Specht zurückkam. In der Hand hielt
er einen mit Alufolie eingepackten Teller.

„Paul, unter dieser drapierten Folie befindet sich hoffentlich nicht
das, was ich vermute?"

„Was vermutest du denn?"

„Kuchen?"

„Bravo, richtig erkannt!"

„Und was machen wir jetzt? Sag bitte nicht, Kuchen essen!"

„Nein, nein, keine Angst. Zuerst werden wir eine kleine Spazier-
fahrt machen, denn ich möchte einmal sehen, wie unser Herr von
Freudenberg privat lebt", meinte Specht. „Und danach habe ich
eine Überraschung für dich."

Übung 90: Welche Verben und Substantive gehören zusammen?

1. einen Vorschlag	a. bekommen
2. Kuchen	b. stellen
3. eine Idee	c. machen
4. Rücksicht	d. stornieren
5. eine Frage	e. essen
6. eine Buchung	f. haben
7. Informationen	g. nehmen

Als sie vor der Ludwigstraße Nummer sechs anhielten, waren beide tief beeindruckt. „Schönes Haus!", urteilte Eva.

„Finde ich auch. Es hat auch schon etliche Architekturpreise gewonnen wegen seiner postmodernen, offenen Bauweise, die das Licht durch die Zimmer fluten lässt – ein kühnes Zusammenspiel aus Stahl und Glas. Das meinte zumindest die Jury."

„Woher weißt du das?"

„Ich habe da eine neue Freundin! Frau Waxlhuber ist eine überaus gesprächige und hilfsbereite Person. Warum meinst du eigentlich, dass ich so viel Kuchen in mich hineingestopft habe?"

„Du Schlitzohr! Eigentlich müsste dir schlecht sein ..."

„Ich bin hart im Nehmen und für meinen Dienst tue ich alles, das weißt du doch!", grinste er.

Sie stiegen aus und konnten auf der dezenten Plexiglasplatte, die am Haus angebracht war, nur drei Namen lesen. Eva war sichtlich überrascht: „So ein großes Haus und nur drei Parteien!" Sie las vor: „Klaus von Freudenberg, Agentur Parzival; Maria von Freudenberg, Agentur Rheingold; Eduard von Freudenberg, Agentur Walküre. Das verstehe ich nicht ..." Fragend sah sie Specht an.

„Nun spann mich nicht so lange auf die Folter. Ich habe recherchiert und weiß daher, dass Klaus von Freudenberg muttersee-

lenallein dasteht. Er hat keine Geschwister, seine Eltern sind gestorben und ..."

„Eva, streng dein süßes Köpfchen nicht so an. Das macht nur Falten, wenn du die Stirn so kraus ziehst. Eigentlich ist alles ganz einfach: Klaus, Maria und Eduard von Freudenberg sind ein und dieselbe Person. Schau dir doch nur diese Agenturen unter den Namen an. Das sind so genannte Briefkastenfirmen, die irgendwelche unseriösen Geschäfte im Ausland betreiben. Man tippt auf Versicherungsbetrug in großem Rahmen. Mehr Informationen bekommen wir nächste Woche."

Übung 91: Ergänzen Sie das Fragewort!

1. _____ fuhren Eva und Paul?

2. _____ hat Paul viel zu viel gegessen?

3. _____ bekamen sie mehr Informationen?

4. _____ sahen sich Eva und Paul an?

5. _____ hat Paul seine Karte gegeben?

6. _____ befand sich das Haus?

7. _____ hat Paul so viel Kuchen gegessen?

8. _____ tat Paul alles?

9. _____ hat das Haus viele Preise gewonnen?

„Man tippt ... wir bekommen ... sag mal, woher weißt du das alles?"

„Ich habe geahnt, dass dieser von Freudenberg Dreck am Stecken hat. Der benimmt sich doch irgendwie auffällig, und ich glaube ihm einfach nicht, dass er wirklich an diese Geistergeschichte glaubt. Und als ich dann Katrin anrief ...“

„Wer zum Teufel ist Katrin?“

„Eine alte Freundin, die ich von früheren Ermittlungen her kenne. Sie ist als Privatdetektivin tätig und arbeitet unter anderem für eine sehr große Versicherungsgesellschaft. Zumindest hat sie mir die Informationen besorgt. So, und mehr wollte ich hier auch gar nicht sehen! Jetzt machen wir noch einen kleinen Ausflug an den Forggensee.“

„Und ich will nichts mehr hören! Ich glaube, nach diesem Wochenende brauche ich dringend Erholungsurlaub!“

Specht fuhr mit Eva zum Forggensee. „So, und jetzt gibt's die versprochene Überraschung!“ Er strahlte sie an, griff in sein Jackett und zog zwei Karten für das *König Ludwig Musical* heraus. „Und das sehen und hören wir uns jetzt an.“

„Das kann doch nicht wahr sein! Specht! Das ist eine tolle Idee! Wann hast du denn die Karten besorgt?“

„Wochen vorher ... nein, nein, war nur ein Scherz! Du wirst dich wundern, Herr von Freudenberg hat mir die Karten zugesteckt, als ich noch einmal in sein Büro zurückgegangen bin. Er hat gemeint, ich müsse mich nicht bedanken, da ohnehin so viele Reiseagenturen ihre Arrangements storniert hätten.“

„Trotzdem lieb von ihm, äh, von dir! Aber Paul, ich bin doch gar nicht richtig angezogen.“

„Ich bitte dich! Du wirst die attraktivste Frau von allen sein. Egal was du anhast.“

„Paul!“ Sie drückte ihm ein Küsschen auf die Wange. „Das hast du aber schön gesagt. Komm, lass uns hineingehen! Ich freue mich sehr!“

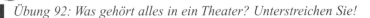

Übung 92: Was gehört alles in ein Theater? Unterstreichen Sie!

der Sitzplatz, der Koch, das Foyer, das Bad, die Garderobe, der Stehplatz, der Vorhang, die Gardine, die Bühne, der Regisseur, die Schauspieler, das Programmheft, der Spielplan, die Platzanweiserin, die Kasse, der Fahrplan, das Kostüm, das Orchester, das Ensemble, der Kopfhörer, die Leinwand

Sie hatten noch etwa zwanzig Minuten Zeit, um im Foyer ein Getränk zu sich zu nehmen. Eva las gespannt in ihrem Programmheft. Es gab fünf Akte und das Musical würde fast drei Stunden dauern. Im ersten Akt, so las sie, trägt Ludwig seinen Vater zu Grabe. Daraufhin sagen drei Nymphen dem König einen einsamen Weg voraus und ermutigen ihn, seine Träume zu realisieren und seine fantastischen Schlösser zu bauen. „Und ausgerechnet diesen romantischen und künstlerischen Ludwig will man für den Krieg gegen Österreich gewinnen", dachte sich Eva.

*Übung 93: Setzen Sie die richtige Präposition ein **(gegen, von, in, aus, zu, für)***!

1. Sie fuhren _____ Richtung Füssen.

2. Die Königin träumte _____ einem fernen Paradies.

3. Er trug seinen Vater _____ Grabe.

4. Ludwig war _____ die Kriegspolitik machtlos.

5. Ludwig musste sich _____ politischen Gründen verloben.

6. Paul hatte Karten _____ das Musical besorgt.

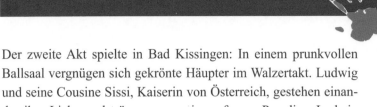

Der zweite Akt spielte in Bad Kissingen: In einem prunkvollen Ballsaal vergnügen sich gekrönte Häupter im Walzertakt. Ludwig und seine Cousine Sissi, Kaiserin von Österreich, gestehen einander ihre Liebe und träumen von einem fernen Paradies. Ludwig muss sich aber aus politischen Gründen mit Sissis Schwester Sophie verloben. „Paul, das wusste ich ja noch gar nicht!" Eva sah hoch. „Specht! Schläfst du?"

„Natürlich nicht. Ich denke nach."

„Also, das mit Sissi und Ludwig musst du mir später noch einmal genauer erklären."

Sie prosteten sich zu. Und Eva las schnell weiter, denn es war nicht mehr viel Zeit, bis das Musical beginnen würde.

Der dritte Akt spielte in der Münchner Residenz: Ludwig erkennt, dass er gegen die Kriegspolitik machtlos ist, und sucht Trost in der Musik Richard Wagners. Als sie den Namen „Wagner" las, musste sie an von Freudenberg denken. Warum hatte er gleich alle drei Agenturen in seinem Haus nach Wagner-Opern benannt? War er vielleicht auch verrückt? Verrückt nach Musik? „Ach, was soll's!", dachte sie sich. „Jetzt beschäftige ich mich schon wieder mit der Arbeit, dabei ist es doch jetzt an der Zeit, sich zu amüsieren!"

Übung 94: Ordnen Sie die Wörter zu Sätzen!

1. Gedanken – woanders – mit – er – seinen – ist

_____

2. Schlittenfahrt – wenn – machen – eine – schneit – es – wir

_____

3. sich – Musicalbesuch – den – gemacht – schick – sie – für – hatte

_____

4. suchte – dem – der – bulligen – Kommissar – nach – Wachmann

_____

5. Aufsehen – wollte – Polizist – erregen – kein – der – großes

_____

6. Meldung – die – neuen – Journalisten – einer – schrieben – an

_____

Eva bekam Gänsehaut, als sie las, an welchem Ort der vierte Akt spielte: Schloss Neuschwanstein. Hier finden nächtliche Schlittenfahrten und exotische Gelage statt. Zu guter Letzt unternimmt Ludwig eine Traumweltreise im Heißluftballon. Da er aus seinen einsamen Fantasien nicht mehr herauszureißen ist, beschließen die Minister, ihn abzusetzen.

Der fünfte Akt thematisierte König Ludwigs Tod in Starnberg. Doch Eva beschloss, nicht mehr weiterzulesen, als sie am Ende des Textes einen Satz sah, der sie frösteln ließ. „Paul, hör mal zu! _In Erinnerung erwacht mein Paradies und ruft nach mir._ Das sind die letzten Worte des Märchenkönigs. Gruselig, findest du nicht? Was waren noch die Worte des Geistes von gestern?"

„_Mein Schloss_", erwiderte er trocken. „Meinst du, die haben das Musical versehentlich gestern im Schloss gespielt?"

„Specht, wo bist du eigentlich mit deinen Gedanken?"

„Entschuldige, Eva!" Er schaute zur Uhr. „So, jetzt sind es noch fünf Minuten, bis es anfängt. Ich denke, wir können langsam zu unseren Plätzen gehen."

Übung 95: Trennen Sie die Wörter in ihre Silben!

(Minute – Mi-nu-te)

1. Schlittenfahrt _____

2. Heißluftballon _____

3. Geistergeschichte _____

4. versehentlich _____

5. Wiedereröffnung _____

6. zielgerichtet _____

7. gefährden _____

8. Erinnerung _____

9. Schaulustige _____

Als der dritte Akt gerade begonnen hatte, wurde Specht unruhig und rutschte auf seinem Stuhl hin und her. „Eva, ich muss los!", flüsterte er.

„Wie bitte? Das Musical ist doch noch gar nicht zu Ende! Wo willst du denn hin?"

„Bitte, frag' nicht! Wir treffen uns in einer Stunde vor dem Ausgang. Ich werde auf dich warten!"

„Was ist denn los?"

„Also, bis gleich!" Leise verließ er den Saal und ging. Spechts Vorhaben konnte vielleicht brenzlig werden und er wollte Eva auf keinen Fall gefährden. Denn diese ganze Geistergeschichte nahm sie schon mehr mit, als sie zugeben wollte. Er ging zum Auto und fuhr zum Schloss hoch. Wie er sich gedacht hatte, waren nur noch die Schranken und der Wachdienst zugegen. Auf dem Weg dorthin liefen ihm zwar noch ein paar Schaulustige über den Weg, doch das war alles. Die Journalisten schrieben sicher gerade an der neuen Meldung, dass das Schloss bald wieder besichtigt werden könne, oder sie spitzten ihre Bleistifte für Montag, den Tag der Wiedereröffnung. Er suchte nach dem bulligen Wachmann, der ihm das letzte Mal geholfen hatte, fand ihn aber nicht. Daraufhin marschierte er zielstrebig zu den anderen drei Kumpel am Hintereingang, die ihn ja schließlich auch kannten.

„Hallo, Jungs, ihr erinnert euch doch sicher an mich!"

Aber die Wachmänner taten so, als hörten sie ihn gar nicht.

„Umso besser", dachte Specht. „Dann gehe ich einfach durch."

! Übung 96: Unterstreichen Sie das schwarze Schaf!

ÜBUNG 96

1. Kumpel – Freund – Kollege – Geliebter
2. Schranke – Tor – Absperrung – Zaun
3. Meldung – Nachricht – Bericht – Zeitung
4. Feuer – Scheinwerfer – Lampe – Flutlicht
5. Bauch – Rücken – Bein – Brust
6. scharren – klopfen – kratzen – wühlen
7. Minuten – Stunden – Jahre – Sekunden

„Moment mal, wo wollen Sie hin? Können Sie nicht lesen, hier ist gesperrt!"

„Und ich dachte schon, ihr seid taub geworden! Wo ist denn euer Freund?"

„Entlassen! Und Sie sind Schuld daran! Hauen Sie bloß ab, sonst sind wir auch noch dran!"

„Okay, dann komme ich eben mit der Füssener Polizei wieder –

und die werden bestimmt ein paar unangenehme Fragen an solche Burschen wie euch haben", bluffte er.

„Nein, nein, bitte warten Sie! In fünf Minuten wechseln wir uns mit Kollegen weiter oben ab. Die werden wir versuchen kurz aufzuhalten. Dann können Sie ungehindert durchgehen."

Specht spielte das Spiel mit, da er kein großes Aufsehen erregen wollte. Er hätte zwar die Füssener Polizei kommen lassen können, aber die möglichen kleinen Delikte dieser Jungs interessierten ihn nun wirklich nicht. Sein erstes Ziel war, durch die Absperrung zu kommen. Und das schien zu gelingen.

Einige Minuten später stand der Kommissar vor dem Schloss und lauschte: Es waren eindeutig Geräusche auszumachen, die sich nach Scharren, Klopfen und Hacken anhörten. Es war so gut wie stockdunkel, da die großen Fluter abgeschaltet waren und nur einige wenige Scheinwerfer diffuses Licht spendeten.

Übung 97: Setzen Sie die Verben im Präteritum in die Sätze ein!

1. Specht der Sekretärin den Schlüssel. (abschwatzen)

_____

2. Sie hoffte, dass er sie nicht. (anlügen)

_____

3. Die Wachmänner das Flutlicht ab. (abschalten)

_____

4. Er ihr, den Schlüssel zurückzubringen. (versprechen)

_____

5. Sie ihn in den Schreibtisch. (zurücklegen)

_____

6. Der Kommissar, wer der Täter war. (vermuten)

_____

Specht kramte in seiner Tasche und zog einen Schlüssel heraus, den er Frau Waxlhuber, Freudenbergs Zweitsekretärin, abgeschwatzt hatte. Er hatte ihr hoch und heilig versprechen müssen, dass sie ihn am Sonntag wieder zurückbekommen würde, sodass sie ihn gleich Montag Früh in ihren Schreibtisch zurücklegen konnte.

„Herr Kommissar", hatte sie gesagt, „wenn Sie nicht bei der Kriminalpolizei wären ..." Sie hatte den Schlüssel schon in der ausgestreckten Hand gehabt, ihn aber gleich wieder zurückgezogen. „Das stimmt doch mit der Kriminalpolizei, Sie würden mich doch nicht anlügen? Ausweise kann man ja schließlich fälschen!"

Specht hatte auf sie eingeredet, dass es doch ihre Bürgerpflicht sei, ihm zu helfen, und sie sich keine Sorgen machen solle. Erst als er ihr seinen Hausschlüssel als Pfand angeboten hatte, den sie zuerst genommen und dann doch wieder zurückgegeben hatte, hatte er den Schlüssel bekommen. „Weil Sie so ein netter Mensch sind. Und nicht vergessen: am Sonntag zurückbringen!" Ein echtes Nervenspiel.

Übung 98: Setzen Sie die Artikel ein und bilden Sie zusammengesetzte Wörter mit Artikeln!

1. _____ Haus   a. _____ Lampe   _____

2. _____ Altbau   b. _____ Loch   _____

3. ___ Schweiß	c. ___ Meister	___
4. ___ Bürger	d. ___ Schlüssel	___
5. ___ Taschen	e. ___ Tropfen	___
6. ___ Schein	f. ___ Wohnung	___
7. ___ Haus	g. ___ Pflicht	___
8. ___ Schlüssel	h. ___ Werfer	___

Mit einer kleinen Taschenlampe, die er in der linken Hand hielt, leuchtete der Kommissar das Schlüsselloch aus. Mit der rechten Hand steckte er den Schlüssel hinein. Dann sperrte er ganz vorsichtig auf. Er freute sich, dass es funktionierte. Doch nun kam der schwerste Teil seiner Arbeit: die Klinke ohne ein Geräusch herunterzudrücken und die schwere Tür zu öffnen. Er dachte kurz an seine Altbauwohnung im Westend und an die große schwere Eingangstür. Wenn Frau Brösel, seine Hausmeisterin, nicht manchmal ein Tröpfchen Öl in die Scharniere tropfen würde ... Bei diesem Gedanken perlten noch mehr Schweißtropfen von seiner Stirn herab. Er öffnete die Tür so langsam, dass es ihm wie eine Ewigkeit vorkam – aber es gelang ihm tatsächlich, kein Geräusch zu verursachen.

Übung 99: Setzen Sie den passenden Buchstaben in der richtigen Anzahl ein!

1. (l) Schlüsse___och

2. (s) Schlo___tube

3. (p) Pa___lakat

4. (s) Fitne____tudio

5. (f) Schi___ahrt

6. (n) A___ahme

Er betrat den menschenleeren Schlosshof und bemerkte, dass das Pochen, Scharren und Kratzen nicht mehr zu hören war. Seltsam, wie er fand. Langsam schlich er die Mauer entlang. Doch was war das? In der Mitte des Hofs stand ein Gerät, das aussah wie eine riesige Kanone. Dieses Ding hatte bei der Schlossführung noch nicht da gestanden, das wusste er genau. Außerdem sah die Kanone nicht gerade aus, als würde sie in das Zeitalter König Ludwigs passen. Sie war ganz eindeutig ein High-Tech-Gerät. Was ging hier vor? Er fühlte sich beobachtet, sah aber niemanden. Waren das Schritte? Specht wollte sich gerade umdrehen, als ihn ein schwerer Gegenstand am Kopf traf und er taumelnd zu Boden fiel.

!
ÜBUNG 100

*Übung 100: Setzen Sie die Wörter in die Lücken **(fangen, fotografieren, wahrnehmen, vernehmen, erkennen)***!

Specht hatte seltsame Träume: Er stand vor dem Schloss und wollte es 1. _____. Er zoomte es immer näher heran. Dann sah er in einem der vielen Burgfenster, die wie gerahmte Landschaftsgemälde wirkten, eine Person stehen. Er konnte die Gestalt nicht 2. _____, deshalb ging er immer weiter auf das Schloss zu. Da sah er ihn stehen: Es war König Ludwig II., der Märchenprinz! In

Gedanken versunken starrte er in die Ferne. Plötzlich fing er an, sich umzugucken und Specht zuzuwinken! Er wurde immer aufgeregter! Dann glaubte Specht, ein lautes Rufen zu 3. _____: HILF MIR!

Langsam kam Specht wieder zu sich. Ihm war sehr kalt. Da er alles völlig verschwommen sah, konnte er zunächst nur Umrisse 4. _____. Nach einiger Zeit sah er zwei, nein, fünf Leute, die ... Dann wurde ihm wieder schwindelig. Er versuchte sich erneut zu 5. _____ und riss seine Augen so weit auf, wie er nur konnte.

Er atmete tief ein. Auf seiner Jacke und auch auf seiner Hose konnte er Blutflecken erkennen. Specht versuchte sich aufrecht hinzusetzen. Er hatte wahnsinnige Schmerzen am Kopf und seine Hände waren hinter dem Rücken zusammengebunden. Er bemerkte, dass er sich jetzt irgendwo im Schloss befand, aber wo? Vor ihm war eine kahle Wand und auf dem Boden lag der heruntergebrochene Wandteppich. Nun wurde es ihm klar – er lag im Wohnzimmer! Auf den zweiten Blick sah er, dass das Mauerwerk völlig aufgeschlagen war. Es sah aus wie auf einer Baustelle: Werkzeug lag auf dem Boden und Leitern standen herum.

Übung 101: Setzen Sie jeweils den ersten Buchstaben ein!

1. __eben   Kann man machen, um einen Teppich herzustellen.

2. __eben   Macht die Erde manchmal.

3. __eben   Menschen, Tiere und Pflanzen tun es.

4. __eben   Macht man mit der Hand.

5. __eben   Macht man mit einem Glas beim Zuprosten.

„Vorsicht, unser Freund wacht auf!"
Die Stimme kam Specht bekannt vor.
Dann war eine weibliche Stimme zu hören: „Parzival, was machen wir mit ihm? Ich finde, wir sollten ihn gleich beiseiteschaffen!"
„Warte noch kurz ab, Brunhilde. Ich möchte erst aus ihm herausbekommen, wie viel er wirklich weiß. Ihr macht euch lieber wieder an die Arbeit."
In Spechts Hirn ratterte es. Klar, das war die Stimme von Freudenberg. Einen Moment später stand er auch schon vor ihm. Dieses Mal war er nicht ganz so schick angezogen, wie er ihn kannte. Aber Ton in Ton, nämlich ganz in Schwarz. Er trug einen Overall, Stiefel und hatte seine Kappe auf dem Kopf tief in die Stirn gezogen. „Na, Herr Kommissar Specht, so sieht man sich wieder!"

!

Übung 102: Ordnen Sie die Gegenteile einander zu!

ÜBUNG 102

1. schlau	a. unbekannt	_____
2. hart	b. weiß	_____
3. länger	c. tot	_____
4. gemeinsam	d. später	_____
5. schwarz	e. weich	_____
6. früher	f. allein	_____
7. bekannt	g. dumm	_____
8. lebendig	h. kürzer	_____

„Guten Abend, Herr Schlossverwalter. Ich weiß gar nicht, wie ich Sie nennen soll: Klaus, Maria oder Eduard von Freudenberg? Oder sollte ich doch lieber Parzival sagen?"

„Sie haben gelauscht! Und ich dachte, Sie würden noch ein bisschen länger schlafen. Ziemlich harter Schädel, den Sie da haben."

„Und was für ein Schauspiel führen Sie hier auf? Das *König Ludwig Musical* oder eher Wagner? Sie sind also Parzival. Und wie ist es so? Identifizieren Sie sich auch immer mehr mit ihm, so wie man es dem Märchenprinzen nachgesagt hat? Mit jener mittelalterlichen Sagengestalt, die dank ihrer Reinheit und ihres Glaubens zum Gralskönig und damit zum Erlöser des sündenbeladenen Vorgängers ..."

„Verschonen Sie mich, Herr Specht! Im Moment ist es noch ein Drama, da mögen Sie recht haben, aber bald nicht mehr."

„Sie waren das also, der alle an der Nase herumgeführt hat. Wo ist denn Ihr Freund Eddie? Mit dem haben Sie doch gemeinsame Sache gemacht!"

Übung 103: Beantworten Sie die Fragen!

! ÜBUNG 103

1. Wohin fuhr Paul, nachdem er die Musicalvorstellung verlassen hatte?

   _____

2. Was war mit dem Wachmann vom letzten Mal passiert?

   _____

3. Was geschah mit Specht im Schlosshof?

   _____

4. Was lag im Wohnzimmer des Schlosses auf dem Boden herum?

_____

5. Was hatte von Freudenberg an?

_____

„Sie sind ja ein richtiger Superbulle! Sie wissen ja doch mehr, als ich dachte." Freudenberg hatte ein Messer aus seiner Hosentasche gezogen und fuchtelte damit vor Spechts Gesicht herum. „Und dabei habe ich Ihnen eine echte Chance gegeben. Wenn Sie heute Abend bei Ihrer charmanten Begleitung geblieben wären und sich das Musical bis zum Ende angeschaut hätten, hätten wir beide keine Probleme miteinander bekommen. Aber so! Was müssen Sie auch überall herumschnüffeln!"

ÜBUNG 104

Übung 104: Suchen Sie den richtigen Artikel und kreuzen Sie den Buchstaben an! Sie finden ein Lösungswort.

	der	die	das
1. Schädel	G	A	M
2. Chance	I	E	O
3. Problem	R	S	H
4. Gesicht	T	U	E
5. Begleitung	Ä	I	M
6. Overall	M	E	P
7. Recht	A	P	N
8. Suche	G	I	L
9. Glauben	S	N	R

Lösungswort: _____

„Parzival, was ist denn hier ..." Nun betrat Eddie den Raum.

„Eddie!", entfuhr es Specht. „Ich habe es doch gewusst! Ihr habt die 500.000 Euro für eure bühnenreife Show hier gebraucht, was?"

„Parzival, was macht dieser Typ hier? Er geht mir gehörig auf die Nerven!"

„Ach, Eddie, nun gönn' mir doch auch einmal ein bisschen Spaß!" Dann wendete er sich wieder Specht zu: „Ja, Sie haben recht. Wir sind wirklich fast pleite! Diese ganzen Exkursionen in die diversen Schlösser ..."

„Und Kirchen!"

„Ja! Richtig, Specht! Und Kirchen, die hätte ich doch beinahe vergessen. Das alles hat nur leider wenig gebracht, genauer gesagt, gar nichts. Doch jetzt wissen wir endlich, wo die Schatzkarte des Königs versteckt ist. Ich will gar nicht daran denken, was wir uns alles hätten ersparen können, wenn wir gleich hier zu suchen begonnen hätten."

„Ich habe doch gleich geahnt, dass Sie Dreck am Stecken haben!"

„Na, na, nun werd' mal nicht frech!" Freudenberg spielte mit seinem Messer.

Übung 105: Um welches Verbrechen handelt es sich?
Ordnen Sie zu!

ÜBUNG 105

(a. der Überfall; b. der Diebstahl; c. die Entführung; d. der Mordversuch; e. der Einbruch; f. der Raubmord; g. die Erpressung; h. der Mord)

1. Man will jemanden töten, aber es funktioniert nicht. _____

2. Man verlangt Geld dafür, dass man schweigt. _____

3. Man nimmt sich etwas, das einem nicht gehört. _____

4. Man dringt gewaltsam in ein fremdes Haus ein. _____

5. Man bringt jemanden um. _____

6. Man stiehlt jemandem etwas und bringt ihn auch

noch um. _____

7. Man greift jemanden ohne Warnung an. _____

8. Man bringt jemanden gegen seinen Willen an

einen anderen Ort. _____

„Woher wissen Sie eigentlich, dass es überhaupt eine Schatzkarte gibt?"

„Sie vergessen wohl, wer wir sind. Unsere Familien sind zwar verarmt, aber das Geheimnis der Schatzkarte, das konnte uns keiner nehmen. Und jetzt werden wir diesen Bastarden alles heimzahlen, was sie uns angetan haben. Wir werden unsere Besitztümer wieder zurückkaufen und ein neues Leben anfangen."

„Erpressung, Nötigung, Einbruch, Mordversuch ... das ist für Sie ein neues Leben? Und Ihre Helfershelfer? Haben Sie keine Angst, dass die anfangen zu plaudern?"

„Sag mal, Parzival, mit dem Mordversuch, meint er sich da etwa selbst? Hahaha!"

„Mein Freund Eddie meint damit, dass es sicher nicht bei dem Versuch bleiben wird. Was ist ein Menschenleben schon wert? Wer hat sich denn um unser Schicksal geschert? Wie es uns ergangen ist, war auch immer allen gleichgültig! Die haben uns angespuckt und uns unser Allerheiligstes weggenommen, unseren Familienbesitz!"

Übung 106: Ordnen Sie die Buchstaben zu Wörtern!

1. litnempomk   _____

2. Huschanhed   _____

3. nopike   _____

4. sungbilaud   _____

5. tachtunge   _____

6. enlanstijour   _____

7. frangeach   _____

8. gelmnud   _____

Plötzlich ging Eddies Walky-Talky an. Er hielt es sich ans Ohr und sagte schließlich: „Okay, dann macht im Thronsaal weiter", und zu Freudenberg gewandt: „Parzival, schon wieder kein Erfolg!"

„Eddie, ich habe doch gleich gesagt, dass ihr im Thronsaal anfangen sollt."

„Tut es Ihnen eigentlich gar nicht weh, diese wunderschönen Hinterlassenschaften des Königs zu ruinieren?", warf Specht ein.

„Ihm tut's bestimmt nicht mehr weh. Hahaha! Na, wie geht es Ihrem Kopf?"

„Geht so, danke der Nachfrage. Übrigens: Kompliment!"

„Wofür?"

„Das muss ich wohl eher Eddie zusprechen. Die Requisiten – die Handschuhe und das Hermelinstück –, die Sie am Tatort zurückgelassen haben, waren wirklich perfekt nachgemachte Kopien. So eine Ausbildung als Bühnenbildner hat doch etwas Gutes, was?"

„Parzival! Ich habe keine Lust mehr, mir diese langweiligen Theorien dieses gewöhnlichen kleinen Bullen noch länger anzuhören!

Gib mir das Messer, dann mache ich ihn kalt!"
„Ruhig, Eddie!"

*Übung 107: Setzen Sie die richtige Präposition ein (**bei, in, in, vom, für, mit, mit, bei**)!*

1. Wie viel haben Sie _____ das Gutachten bezahlt?

2. Haben Sie _____ bar bezahlt?

3. Oder haben Sie _____ Karte bezahlt?

4. Haben Sie den Informanten _____ Geld geschmiert?

5. Das hängt _____ Preis ab.

6. Ich möchte gerne Dollars _____ Euros tauschen.

7. Es war _____ Weitem nicht so teuer, wie wir gedacht hatten.

8. _____ gutem Wetter gehen wir in den Zoo.

„Lieber Herr Specht, was glauben Sie denn, wofür wir das ganze Geld gebraucht haben? Wir haben damit auch die Experten mit ihren gefälschten Gutachten bezahlt!"
„Ach, war Eddie doch nicht so gut! Wahrscheinlich haben Sie auch ein paar Journalisten ..."
„Geschmiert, wollten Sie sagen? Jeder ist bestechlich, auch Sie, Herr Specht. Ich wette, es kommt nur auf den Preis an. Zum Teil, muss ich gestehen, habe ich die Meldungen sogar selbst geschrieben: Der Geist des Königs findet keine Ruhe. Ist das nicht lustig? Außerdem gibt es so viele Dilettanten – wozu ich Sie eigentlich nicht zähle. Dumm nur, dass ich Sie für nichts mehr gebrauchen kann."

Übung 108: Unterstreichen Sie die richtige Alternative!

1. Der Mann war krimineller, wie/als Specht gedacht hatte.
2. Specht durfte die Karte sofern/sogar in die Hand nehmen.
3. Alles kommt vom/auf den Preis an.
4. Die Verbrecher wollten per Walky-Talky miteinander anrufen/ sprechen.
5. Eva Hansen zog die Pistole an/zog die Pistole.
6. Paul drückte/druckte Eva.

„Nur noch eine Frage: Sie suchen also nach einer Schatzkarte König Ludwigs. Wer sagt Ihnen denn, sofern es diese Karte überhaupt gibt, dass sich der Schatz des Königs noch an dem gekennzeichneten Ort befindet? Nach so vielen Jahren! Also, ich finde das eher unrealistisch, geradezu aussichtslos."

„Wissen Sie was, Herr Specht, Sie machen mir Spaß! Ich lasse Sie noch so lange am Leben, bis wir die Karte gefunden haben. Sie dürfen sie sogar einmal in die Hand nehmen, damit Sie sehen, wie es ist, wenn das Glück eigentlich zum Greifen nahe ist, man dann aber leider scheiden muss. Wie ziehen Sie es denn vor, zu sterben? Messer? Gift? Kugel?"

Übung 109: Suchen Sie das schwarze Schaf!

1. Messer – Teller – Gabel – Löffel
2. Kugel – Pistole – Gewehr – Revolver
3. Ärztin – Krankenschwester – Krankengymnastin – Krankenhaus
4. Specht – Amsel – Meise – Huhn
5. Spaß – Ulk – Glück – Scherz
6. Weltkugel – Erde – Globus – Himmel

„Sie sind ja irrsinnig, völlig krank! Wissen Sie, in einer Welt, in der Menschen wie Sie beide leben, macht es mir ehrlich gesagt keinen großen Spaß mehr, weiterzuleben."

„Kein Problem, du Schwein, das geht schneller, als du denkst!", mischte sich Eddie ein.

„Eddie, nun reiß dich endlich zusammen!", fuhr Freudenberg ihn an. Dann wandte er sich wieder Specht zu: „Specht, ich finde Sie wirklich lustig ..."

„Und ich Sie auch, Klaus von Freudenberg! Sie sind verhaftet!"

Es war nicht zu glauben! Mit einer Pistole in der Hand stand Eva Hansen im Wohnzimmer. Sie hatte noch sechs bewaffnete Polizisten zur Verstärkung dabei.

„Wow, gut gemacht! Wenn ich die Hände frei hätte, würde ich applaudieren, Eva." Specht war wirklich froh, sie zu sehen. Doch Eva machte zunächst einen leicht enttäuschten Eindruck.

„Herr von Freudenberg, wie können Sie es uns so leicht machen, die Tür stand einfach offen!"

„Hey, könnte mich mal einer losbinden!"

„Paul, das mache ich doch höchstpersönlich – wobei du das eigentlich nicht verdient hast: Wie kannst du mich nur allein sitzen lassen? Das hat noch nie ein Mann mit mir gemacht!"

„Dann wird es Zeit, dass es endlich einmal einer tut."

Eva wollte ihm in die Seite knuffen, hielt sich seines Zustandes wegen aber zurück. Er sah wirklich ein bisschen lädiert aus. „Aber gut, dass er seinen Humor nicht verloren hat", dachte Eva, als sie ihm die Fesseln abnahm.

Specht rappelte sich auf und jammerte: „Aua!"

Sie sah ihn mitleidig an. „Ich rufe am besten gleich einen Krankenwagen."

„Das hat Zeit." Er musste sie jetzt einfach in den Arm nehmen und fest an sich drücken.

Übung 110: Bilden Sie aus Substantiv und Adjektiv ein neues Adjektiv!

1. Menschen   a. reich   _____

2. Freude   b. fern   _____

3. Kinder   c. strahlend   _____

4. Angst   d. schön   _____

5. Realität(s-)   e. beladen   _____

6. Sünde(n-)   f. reif   _____

7. Bühne(n-)   g. voll   _____

8. Wunder   h. leer   _____

„Hey, Leute, was schaut ihr denn so? Führt diese Verbrecher gefälligst ab!", ordnete Specht an. Dann standen die beiden fest umschlungen und ganz allein im Wohnzimmer des Schlosses.

„Danke, Ludwig!"

„Wie? Danke, Ludwig? Hat dir der König geholfen oder ich?"

„Du natürlich! Aber sein Geist hat uns ein weiteres Abenteuer bestehen lassen. Meine Heldin, ich bin stolz auf dich!"

„War das etwa eine Beförderung?"

„Du bist doch schon meine Assistentin, die nächste Position wäre Kommissar. Und du willst doch nicht etwa an meinem Stuhl sägen?"

„Nein, um Gottes willen! Ich hätte keine Lust, mich jeden Tag mit Huber herumzustreiten. Das überlasse ich lieber dir."

„Gut, dann wirst du ab sofort meine Beschützerin."

„Okay, Chef!"

„Eva, Spaß beiseite. Du hast mir soeben das Leben gerettet. Wie soll ich dir dafür danken?"

„Da wüsste ich schon etwas! Und dieses Mal hat es nichts mit aktivem Sport zu tun!"

„Wie schade!"

„Versprich mir, nie wieder in Kims Aerobicstunden zu gehen. Du wirst die Schritte sowieso nie lernen. Unter uns, du hast dich ganz schön dämlich angestellt. Ziemlich peinlich!"

„Wirklich?"

„Ja!"

„Okay, dann verspreche ich es hiermit. Prima! Dann können wir ja jetzt gehen!"

„Oh nein, mein Lieber, das war noch nicht alles! Du glaubst doch nicht, dass du mir so günstig davonkommst?"

„Was dann?"

„Schau dir einmal meine Schuhe an! Die waren nagelneu! Und wie sie jetzt aussehen, nachdem ich heute schon wieder unerwartet über dieses matschige Schlossgelände waten musste! Da, schau sie dir ruhig an. Völlig im Eimer! Also bekomme ich ein Paar neue Schuhe von dir!"

„Sind die teuer?"

„Soll ich Eddie wieder hereinholen?"

„Ich schenke dir zwei Paar."

ENDE

Abschlusstest

Übung 1: Vervollständigen Sie die Sätze!

1. Bei der Ankunft im Hotel geht man zur _____ .

2. Die Dame, die im Büro im Vorzimmer sitzt, ist die _____ .

3. Im Theater gibt man seinen Mantel an der _____ ab.

Übung 2: Finden Sie das schwarze Schaf!

1. lockig – glatt – braun – gewellt
2. wieso – weshalb – wer – warum
3. Koffer – Reisetasche – Flughafen – Gepäck

Übung 3: Ist die Präposition richtig (+) oder falsch (-)? Wenn sie falsch ist, korrigieren Sie!

1. Die Kirche steht im Genfer See.   ( )   _____

2. Sie fuhren in Richtung Hamburg.   ( )   _____

3. Er hatte Karten für die Abendvorstellung.   ( )   _____

4. An schlechtem Wetter gehen wir ins Kino.   ( )   _____

Übung 4: Setzen Sie das richtige Fragewort ein!

1. _____ kommt Eva Hansen?

2. _____ liegt München?

3. _____ hieß die Sekretärin?

4. _____ suchen Eddie und Freudenberg?

Übung 5: Wen oder was kann man in einem Büro der Kripo finden?

1. sasmikorm   _____

2. tompucer   _____

3. vächtigerde   _____

Übung 6: Setzen Sie die Konjunktionen ein!

1. Eva glaubte nicht, _____ Aerobic das Richtige für Paul war.

2. Der Wachmann wurde entlassen, _____ er Paul geholfen hatte.

3. Paul aß den Kuchen, _____ er gar keinen Hunger hatte.

4. Sie fuhr zum Schloss, _____ die Täter zu verhaften.

5. Eva will nicht auf die Brücke, _____ sie Angst hat.

Übung 7: Ordnen Sie die Wörter!

1. Wachmänner – Flutlicht – ab – die – das – schalteten

_____

2. brachte – Schlüssel – er – den – zurück – ihr

_____

3. Journalist – an – Meldung – schrieb – der – der

_____

4. Kuchen – die – brachte – und – Sekretärin – Kaffee

_____

Lösungen

Übung 1: Tränerin/Trainerin; das/dass; wunderschon/wunderschön; schwepte/schwebte; schäzte/schätzte; bißchen/bisschen; fülte/fühlte; Leitsaz/Leitsatz

Übung 2: 1. asiatisch; 2. russisch; 3. englisch; 4. chinesisch; 5. polnisch; 6. deutsch; 7. schweizerisch; 8. afrikanisch; 9. mexikanisch; 10. europäisch

Übung 3: 1. lockig/glatt; 2. jung/alt; 3. attraktiv/unattraktiv; 4. einfach/schwierig; 5. gut/schlecht; 6. lang/kurz; 7. sportlich/unsportlich; 8. rechts/links; 9. schön/hässlich; 10. regelmäßig/unregelmäßig

Übung 4: 1. Gestern hatte er sich einen Spielfilm im Fernsehen angesehen. 2. Das Wetter war in den letzten Tagen schlechter geworden. 3. Es regnete häufig und die Temperaturen lagen meist unter 15 Grad. 4. Das Fahrrad stand vor der Tür. 5. Der Buchladen nebenan war schon geschlossen. 6. In seinen neuen Schuhen konnte er gut laufen.

Übung 5: 1. spielen; 2. mitteilen; 3. werden; 4. verlieren; 5. weghören; 6. begehen; 7. schließen; 8. reden; 9. verlieren

Übung 6: 1. das, die Papiere; 2. der, die Kartons; 3. die, die Wetten; 4. der, die Jobs; 5. der, die Rücken; 6. das, die Probleme; 7. das, die Handys; 8. die, die Anweisungen

Übung 7: 1. Er hatte den Namen „Kim" vorher noch nie gehört. 2. Mittlerweile war er bereits zum sechsten Mal dabei. 3. Hier trainierten sehr viele prominente Leute. 4. Sie würde ihn überreden, mit ihr noch etwas zu trinken.

Übung 8: 1. Aerobic; 2. Training; 3. gestreift; 4. Kollege; 5. faulenzen; 6. Wolle; 7. Tasche; 8. Zimmer

Übung 9: 1. Paul Specht ist Kommissar bei der Münchner Kripo. 2. Sie ist die Assistentin von Paul Specht. 3. Ja, sie duzten sich. 4. Sie verließen den Trainingsraum, weil sie einen Einsatz hatten. 5. Sie wurden über ihre Handys informiert. 6. Er hatte es in seiner Sportjacke.

Übung 10: 1. Wer; 2. Warum; 3. Wohin; 4. Wo; 5. Was; 6. Wann; 7. Womit; 8. Warum; 9. Wer; 10. Wo

Übung 11: 1d das Dampfschiff; 2f die Autofahrt; 3g die Personalakte; 4b der Reiseführer; 5a der Schlosspark; 6h der Mantelkragen; 7e der Handschuh; 8c das Segelboot

Übung 12: 1. Leute; 2. König; 3. Vetter; 4. König; 5. Bauherrn; 6. Reiseführer; 7. Märchenprinzen; 8. Dame

Übung 13: 1. bitten; 2. Pause; 3. sprechen; 4. König; 5. Stelle; 6. Heirat; 7. machte; 8. Beamte

Übung 14: 1. Reiseführer; 2. Schwester; 3. Verlobung; 4. Polizisten; 5. Beamte; 6. Schloss; 7. Tagen; 8. Tatbestand; 9. Kapelle; 10. Mantelkragen

Übung 15: 1. der Mantel; 2. der Täter; 3. die Arbeit; 4. der Finger; 5. der Nachmittag; 6. die Kapelle

Übung 16: sprechen; reden; anmerken; plaudern; schwatzen; erzählen; kundtun; äußern; erklären; vortragen

Übung 17: 1. Sie kamen mit dem Auto nach Starnberg. 2. Es wurde in einer Kapelle eingebrochen. 3. Nein, Eva ist nicht aus Bayern. 4. Sie trafen zwei uniformierte Kollegen.

Übung 18: 1. mommentan/momentan; 2. Peltz/Pelz; 3. vieleicht/vielleicht; 4. überhaubt/überhaupt; 5. Stemeisen/Stemmeisen; 6. Eisbär-Kostum/Eisbär-Kostüm

Übung 19: 1. (+); 2. (-); 3. (+); 4. (-)

Übung 20: 1. Das kam von dem Kopfstand, den sie machte. 2. Sie putzte ihre Schuhe. 3. Der Kaffee war auch fertig. 4. Deshalb trank er zwei Liter Wasser am Tag. 5. Die Affen waren heute wieder besonders laut.

Übung 21: 1. Kanarienvogel; 2. Fisch; 3. Huhn; 4. Schlange; 5. Krebs; 6. Ameise; 7. Mücke; 8. Delfin; 9. Schildkröte

Übung 22: 1. der Hammer; 2. die Zange; 3. die Bohrmaschine; 4. die Säge; 5. der Schraubenzieher

Übung 23: 1. Garage; 2. Haus; 3. Polizist; 4. Brot; 5. Buch; 6. Badewanne; 7. Bitte

Übung 24: 1. Eva fing an, die Zeitung durchzublättern. 2. Der Messdiener sagte, er hätte etwas gehört. 3. Er wollte es ihr die ganze Zeit sagen. 4. Im Fernsehen haben sie etwas darüber gebracht. 5. Er brauchte die Nervennahrung zum Nachdenken.

Übung 25: 1. im; 2. am; 3. in; 4. auf; 5. auf; 6. in; 7. auf; 8. am; 9. über

Übung 26: 1. hängte; 2. verheiratet; 3. langweilig; 4. interessiert; 5. setzte; 6. aufgeregt; 7. verblüfft; 8. lag

Übung 27: 1. Zimmer; 2. Schreibtisch; 3. Beweisstück; 4. Bericht; 5. Stunde; 6. Interview; 7. Frage; 8. Zeitung

Übung 28: 1. (-) der; 2. (+); 3. (-) das; 4. (-) die; 5. (+); 6. (+); 7. (-) die

Übung 29: 1c; 2e; 3d; 4f; 5a; 6b

Übung 30: 1. Si-cher-heits-kon-trol-le; 2. Lei-den-schaft; 3. Ur-groß-va-ter; 4. sympa-thi-scher; 5. Zwi-schen-be-mer-kung; 6. Ta-ge-bü-cher; 7. Jagd-aus-bil-dung

Übung 31: 1. der, die Prinzen; 2. der, die Hasen; 3. der, die Blicke; 4. der, die Meißel; 5. die, die Fragen; 6. die, die Antworten; 7. die, die Wände; 8. das, die Monogramme

Übung 32: 1. Sein Chef kam in Paul Spechts Büro. 2. Er wollte einen Bericht haben. 3. Am Morgen wurde in Schloss Nymphenburg eingebrochen. 4. Er weiß sehr viel über bayerische Geschichte. 5. Das Gemälde der Königsmutter lag auf dem Bett.

Übung 33: rükte/rückte; Geschenck/Geschenk; übereicht/überreicht; ihre/Ihre; beaugt/beäugt; im dunkeln/im Dunkeln

Übung 34: 1a; 2b; 3b

Übung 35: 1. Jacket; 2. Anzug; 3. Hose; 4. Hemd; 5. Bluse; 6. Handschuhe; 7. Mütze; 8. Pullover

Übung 36: 1d. das Augenlid; 2e. der Lippenstift; 3a. die Haarfarbe; 4f. der Mundwinkel; 5c. die Wimperntusche; 6b. die Stirnfalten

Übung 37: macht; hat; gemeldet; ist; wissen; meinte; ist; hinbringen; dürfte; wollte; sagte; wäre; hat; gehe; werde; angesprochen; bin; müssen; wissen

Übung 38: der Koffer, das Schließfach, das Gepäck, die Fahrkarte, die Zugbegleiterin, die Reisenden, der Lokführer, die Schienen, der Fahrplan

Übung 39: 1. Vi-si-ten-kar-te; 2. Mi-nis-ter-prä-si-dent; 3. Schließ-fach 4. Haupt-bahn-hof 5. Klei-nig-keit 6. Schwei-ne-bra-ten 7. Ta-ges-zei-tung

Übung 40: 1. schwarz; 2. blau; 3. schwarz; 4. rosarote; 5. grün; 6. blauen; 7. schwarz; 8. rot

Übung 41: 1. Cola; 2. Geburtstag; 3. Souvenir; 4. Blaumann

Übung 42: 1c; 2d; 3e; 4f; 5a; 6b

Übung 43: 1. Er ist Autohändler von Beruf. 2. Er vermisste seinen Hund. 3. Er sollte in ein Schließfach am Hauptbahnhof gebracht werden. 4. Sie aßen zu Mittag. 5. Ja, er bekam ihn zurück. 6. Er war im Tierheim abgegeben worden.

Übung 44: 1. müßen/müssen; 2. verdechtigen/verdächtigen; 3. Schulfreunt/Schulfreund; 4. könten/könnten; 5. Stifft/Stift; 6. Anung/Ahnung

Übung 45: wütend; schönen; sinnlosen; schönen; nagelneuen; schmerzenden; alten; ausgelatschten; schrecklich; wunden

Übung 46: Stiefel, Pantoffeln, Latschen, Sandalen, Pumps, Mokassins, Flip-Flops, Abendschuhe, Slipper, Stiefeletten

Übung 47: 1. Heute wollte Eva ins Fitnessstudio gehen. 2. Am Abend feierte er mit seinen Freunden eine Party. 3. Nach einer Stunde kam Specht wieder ins Büro. 4. In diesem Moment klingelte das Telefon. 5. Soeben hatte Eva neue Informationen erhalten.

Übung 48: 1. setzte; 2. vom; 3. verboten; 4. die Hölle; 5. gelöst

Übung 49: 1. Tablett; 2. Befragung; 3. Seidenhemd; 4. Locher; 5. Akten; 6. Verdacht

Übung 50: 1. Er hat am Theater gearbeitet. 2. Er war ein Schulfreund von Eddie. 3. Sie hat Pflaster auf die wunden Stellen geklebt. 4. Sie kochte gerade Kaffee. 5. Sie wollte mit dem Locher nach ihm werfen. 6. Sie kam, um Specht einen Stift zu bringen.

Übung 51: 1. Bett; 2. Schreibtisch; 3. Schrank; 4. Teppich; 5. Regal; 6. Stuhl; 7. Sofa; 8. Kommode

Übung 52: 1. Möbel; 2. Kirche; 3. einbrechen; 4. Zeitung; 5. schreiben; 6. Richtung

Übung 53: 1. das; Täler; 2. das; Klöster; 3. die; Fontänen; 4. der; Geschmäcker; 5. der; Münder; 6. der; Eingänge; 7. das; Schlösschen; 8. die; Jahreszeiten; 9. die; Krawatten; 10. die; Nummern

Übung 54: 1. Taschenrechner; 2. Musik; 3. Wörterbuch; 4. Sport

Übung 55: 1. Schreiner; 2. Maurer; 3. Fliesenleger; 4. Dachdecker; 5. Glaser

Übung 56: 1. Sie fuhren nach Schloss Linderhof. 2. Der antike Holzfußboden wurde aufgebrochen. 3. Es war ungefähr 50 Zentimeter groß und hatte die Form eines Quadrates. 4. Nein, es war schon dunkel.

Übung 57: 1. in; 2. an; 3. auf; 4. ans; 5. in; 6. um; 7. bei; 8. von

Übung 58: 1. wierklich/wirklich; 2. stincksauer/stinksauer; 3. Ausserdem/Außerdem; 4. Lobeshymmne/Lobeshymne; 5. Einbruchsdelickte/Einbruchsdelikte; 6. Irgendwan/Irgendwann

Übung 59: Zugbrücke; Wassergraben; Königin; Prinzessin; Kerzenleuchter; Folterkammer; Rüstungen; Ritter; Waffen; Diener

Übung 60: 1. Eva und Paul zogen sich ihre Schlittschuhe an. 2. Dafür sang der König umso schöner. 3. Im Fernsehen lief gerade Werbung und Paul holte sich ein neues Glas Wein aus der Küche. 4. Im Sommer wollte Eva vielleicht nach Lateinamerika fahren. 5. Das neue Fitnessgerät glich wirklich einem Folterinstrument.

Übung 61: 1. au; 2. en; 3. an; 4. ei; 5. ie; 6. eh

Übung 62: 1. der Tag, a. die Gruppe; 2. das Leben, b. das Zimmer; 3. die Speise, c. die Ordnung; 4. das Blut, d. die Tasche; 5. die Touristen, e. die Erfahrung; 6. der Schlaf, f. der Fleck; 7. die Hand, g. der Saal; 1c die Tagesordnung; 2e die Lebenserfahrung; 3g der Speisesaal; 4f der Blutfleck; 5a die Touristengruppe; 6b das Schlafzimmer; 7d. die Handtasche

Übung 63: essen: speisen, schmatzen, verzehren, nagen, vertilgen, fressen; trinken: schlürfen, saufen, bechern, zechen, schlabbern, nippen

Übung 64: 1. der Großvater; 2. die Schwägerin; 3. die Cousine; 4. der Enkel; 5. die Urgroßmutter; 6. die Eltern; 7. die Tante

Übung 65: blutdürstig, die Blutwurst, die Blutsverwandtschaft, der Blutsbruder, blutjung, die Bluttat, warmblütig, die Blutorange, das Blutbad, blutüberströmt

Übung 66: 1. Geisterhand; 2. ausnahmslos; 3. Richtung; 4. Schlafzimmer; 5. Reisegruppe; 6. Boden; 7. ohnmächtig; 8. aufgerissenen

Übung 67: 1. Sie nahmen an einer Schlossführung teil. 2. Sie kamen aus Deutschland, England, Frankreich, Italien, Österreich, der Schweiz, Amerika und Japan. 3. Es wollte etwas zu essen haben. 4. Sie entdeckten einen Blutfleck. 5. Sie hatte ihre Handtasche fallen lassen. 6. Er fächelte ihr Luft zu, weil sie ohnmächtig geworden war.

Übung 68: 1. ausehender/aussehender; 2. wisen/wissen; 3. ofensichtlichen/offensichtlichen; 4. verückt/verrückt; 5. komen/kommen

Übung 69: 1. Er hatte dunkelbraune Augen und war ein sportlicher Typ. 2. Eva hätte sich gerne ein Loch gegraben. 3. Ich habe doch noch eine andere Frage. 4. Eva war trotz der großen Aufregung sehr ruhig. 5. Die Sekretärin weiß nicht, wo ihr der Kopf steht.

Übung 70: 1. Pension; 2. Doppel- oder Einzelzimmer; 3. Gästebuch; 4. Frühstück; 5. Abendessen; 6. Portier; 7. Koffer; 8. Reisetäschchen

Übung 71: Messer, Gläser, Gabeln, Esslöffel, Teller, Servietten, Tischdecke, Kerzen

Übung 72: 1. Gurke; 2. Tee; 3. Mineralwasser; 4. Joghurt; 5. Likör; 6. Bier; 7. Schweinebraten

Übung 73: 1. Gesprächstoff/Gesprächsstoff; 2. Kintheit/Kindheit; 3. Nachbarschafft/

Nachbarschaft; 4. priwat/privat; 5. Schloß/Schloss

Übung 74: 1. als; 2. wie; 3. wie, als; 4. als; 5. als

Übung 75: 1. ein-mi-schen; 2. zu-sätz-lich; 3. neu-tra-li-sie-ren; 4. ei-gent-lich; 5. merk-wür-dig; 6. Geis-ter-jä-ger; 7. Haupt-ein-gang; 8. Pres-se-leu-te

Übung 76: 1. unter; 2. von; 3. in; 4. in; 5. aus; 6. über; 7. in; 8. im; 9. zum

Übung 77: 1. Er bestellte sich ein Weißbier. 2. Sie gingen zum Schloss. 3. Ja, dort waren etliche Presseleute. 4. Sie gab ihm ein Taschentuch. 5. Er war gerade mit seinem Gespräch fertig.

Übung 78: 1. spätabends; 2. Hölle; 3. gut riechen; 4. aufhören; 5. nicht wissen; 6. allein; 7. sauer

Übung 79: 1. (+); 2. (-); 3. (-); 4. (-); 5. (-); 6. (+)

Übung 80: 1. arbeitslos; 2. Einsamkeit; 3. spannend; 4. empfinden; 5. eigentlich; 6. genüsslich

Übung 81: der Stift; das Heft; das Bild; der Antrag; das Erlebnis; der Stadtplan

Übung 82: 1. mir; 2. sie; 3. ihn; 4. ihm; 5. sie; 6. mich; 7. ihr; 8. ihnen

Übung 83: 1. die; 2. der; 3. die; 4. das; 5. der; Lösungswort: Kripo

Übung 84: 1. Sie hatte die Nase von Fitnessstudios wirklich voll. 2. Wir fahren deshalb in die Türkei. 3. Paul zog sich die Schuhe aus. 4. Auch Mützen trage ich nie. 5. Ich esse nicht gerne Kuchen.

Übung 85: 1. Schloss; 2. Sonne; 3. Oma; 4. Erbe; 5. alt; 6. den

Übung 86: 1. Wasser; 2. Kuchen; 3. gebackenen; 4. bewirtete; 5. Verlegenheit; 6. Sekretärin; 7. Aushilfe; 8. Vorgänger; 9. aufhören; 10. erfahrene

Übung 87: 1. deshalb; 2. trotzdem; 3. obwohl; 4. weil; 5. dass; 6. aber

Übung 88: 1. das; 2. der; 3. der; 4. die; 5. die; 6. die; 7. das; 8. das

Übung 89: 1. (+); 2. (-); 3. (-); 4. (+); 5. (+); 6. (+); 7. (-)

Übung 90: 1c; 2e; 3f; 4g; 5b; 6d; 7a

Übung 91: 1. Wohin; 2. Wovon; 3. Wann; 4. Was; 5. Wem; 6. Wo; 7. Warum; 8. Wofür; 9. Warum

Übung 92: der Sitzplatz; das Foyer; die Garderobe; der Stehplatz; der Vorhang; die Bühne; der Regisseur; die Schauspieler; das Programmheft; der Spielplan; die Platzanweiserin; die Kasse; das Kostüm; das Ensemble

Übung 93: 1. in; 2. von; 3. zu; 4. gegen; 5. aus; 6. für

Übung 94: 1. Er ist mit seinen Gedanken woanders. 2. Wenn es schneit, machen wir eine Schlittenfahrt. 3. Für den Musicalbesuch hatte sie sich schick gemacht. 4. Der Kommissar suchte nach dem bulligen Wachmann. 5. Der Polizist wollte kein großes Aufsehen erregen. 6. Die Journalisten schrieben an einer neuen Meldung.

Übung 95: 1. Schlit-ten-fahrt; 2. Heiß-luft-bal-lon; 3. Geis-ter-ge-schich-te; 4. ver-se-hent-lich; 5. Wie-der-er-öff-nung; 6. ziel-ge-rich-tet; 7. ge-fähr-den; 8. Er-in-ne-rung; 9. Schau-lus-ti-ge

Übung 96: 1. Geliebter; 2. Tor; 3. Zeitung; 4. Feuer; 5. Bein; 6. klopfen; 7. Jahre

Übung 97: 1. Specht schwatzte der Sekretärin den Schlüssel ab. 2. Sie hoffte, dass er sie nicht anlog. 3. Die Wachmänner schalteten das Flutlicht ab. 4. Er versprach ihr, den Schlüssel zurückzubringen. 5. Sie legte ihn in den Schreibtisch zurück. 6. Der Kommissar vermutete, wer der Täter war.

Übung 98: 1c das Haus, der Meister, der Hausmeister; 2f der Altbau, die Wohnung, die Altbauwohnung; 3e der Schweiß, der Tropfen, der Schweißtropfen; 4g der Bürger, die Pflicht, die Bürgerpflicht; 5a die Taschen, die Lampe, die Taschenlampe; 6h der Schein, der Werfer, der Scheinwerfer; 7d das Haus, der Schlüssel, der Hausschlüssel; 8b der Schlüssel, das Loch, das Schlüsselloch

Übung 99: 1. Schlüsselloch; 2. Schlossstube; 3. Pappplakat; 4. Fitnessstudio; 5. Schifffahrt; 6. Annahme

Übung 100: 1. fotografieren; 2. erkennen; 3. vernehmen; 4. wahrnehmen; 5. fangen

Übung 101: 1. weben; 2. beben; 3. leben; 4. geben; 5. heben

Übung 102: 1g; 2e; 3h; 4f; 5b; 6d; 7a; 8c

Übung 103: 1. Er fuhr zum Schloss. 2. Der Wachmann war entlassen worden. 3. Ein schwerer Gegenstand verletzte ihn am Kopf. 4. Werkzeug lag auf dem Boden herum. 5. Er hatte einen Overall, Stiefel und eine Kappe an.

Übung 104: 1. der; 2. die; 3. das; 4. das; 5. die; 6. der; 7. das; 8. die; 9. der; Lösungswort: Geheimnis

Übung 105: 1d; 2g; 3b; 4e; 5h; 6f; 7a; 8c

Übung 106: 1. Kompliment; 2. Handschuhe; 2. Kopien; 4. Ausbildung; 5. Gutachten; 6. Journalisten; 7. Nachfrage; 8. Meldung

Übung 107: 1. für; 2. in; 3. mit; 4. mit; 5. vom; 6. in; 7. bei; 8. Bei

Übung 108: 1. als; 2. sogar; 3. auf den; 4. sprechen; 5. zog die Pistole; 6. drückte

Übung 109: 1. Teller; 2. Kugel; 3. Krankenhaus; 4. Huhn; 5. Glück; 6. Himmel

Übung 110: 1h; 2c; 3a; 4g; 5b; 6e; 7f; 8d

Lösungen Abschlusstest

Übung 1: 1. Rezeption; 2. Sekretärin; 3. Garderobe

Übung 2: 1. braun; 2. wer; 3. Flughafen

Übung 3: 1. (-), am; 2. (+); 3. (+); 4. (-) Bei

Übung 4: 1. Woher; 2. Wo; 3. Wie; 4. Was

Übung 5: 1. Kommissar; 2. Computer; 3. Verdächtige

Übung 6: 1. dass; 2. weil; 3. obwohl; 4. um; 5. weil

Übung 7: 1. Die Wachmänner schalteten das Flutlicht ab. 2. Er brachte ihr den Schlüssel zurück. 3. Der Journalist schrieb an der Meldung. 4. Die Sekretärin brachte Kaffee und Kuchen.